ESTRELLAS Y PLANETAS

Dr. Mike Goldsmith

Primera edición en Panamericana Editorial Ltda., 2008

Publicado en acuerdo con Macmillan Children's Books

Título original: *Stars & Planets*

Dirección editorial: Conrado Zuluaga
Edición en español: Diana López de Mesa Oses
Traducción del inglés: Ana Perez Calderón

ISBN: 978-958-30-3002-4

Panamericana Editorial Ltda.
Calle 12 No. 34-20. Tels.: 3603077 – 2770100.
Fax: (57 1) 2373805
panaedit@panamericana.com.co
www.panamericanaeditorial.com
Bogotá D.C., Colombia

Impreso en Taiwán
Printed in Taiwan

Goldsmith, Mike
Estrellas y planetas / Mike Goldsmith ; traductor Ana Pérez. — Bogotá : Panamericana Editorial, 2008.
48 p. : il. ; 28 cm.
Incluye glosario.
Incluye índice.
ISBN 978-958-30-3002-4
1. Estrellas 2. Planetas 3. Astronomía I. Pérez, Ana, tr. II. Tít.
523.8 cd 21 ed.
A1164903

CEP-Banco de la República-Biblioteca Luis Ángel Arango

NOTA: Las direcciones de Internet listadas en este libro fueron verificadas. Sin embargo, pueden presentarse cambios en las direcciones y contenidos. Recomendamos que el acceso de los niños, a Internet y a las páginas listadas, esté supervisado por un adulto. El Editor no es responsable de ninguno de los contenidos de las páginas de Internet mencionadas.

Los Editores dan las gracias a quienes colaboraron con los permisos de reproducción de las imagenes. Se tomaron todos los cuidados para acreditar a los dueños de los derechos. No obstante, si ha habido omisiones inintencionadas o errores en acreditar a los dueños de los derechos, nos excusamos y solicitamos se nos verifique para corregirlo en futuras ediciones. (t = arriba, b = abajo, c = centro, l = izquierda, r = derecha):

Página 4tr Corbis/Bryan Allen; 4bl Getty/Taxi; 5b Kamioka Observatory, Tokyo, Japan; 8br Science Photo Library (SPL)/Jerry Lodriguss; 9bl SPL/David A. Hardy, Futures: 50 Yrs in Space; 9br SPL/Allan Morton/Dennis Milon; 10l SPL/International Astronomical Union/Martin Kornmesser; 10cl SPL/US Geological Survey; 10c SPL/NASA; 11tr SPL/Claus Lunau/FOCI/Bonnier Publications; 11bl SPL/Detlev van Ravenswaay; 11c SPL/Mark Garlick; 11br SPL/Friedrich Saurer; 12b Arcticphoto/Ragnar Sigurdsson; 12–13 SPL/Mehau Kulkyk; 13tl Tim Van Sant, ST9 Solar Sail Team Lead, NASA Goddard Space Flight Center; 13c SPL/Scharmer et al, Royal Swedish Academy of Sciences; 13cb Corbis/Roger Ressmeyer; 13r SPL; 14t ESA/NASA; 14c SPL/US Geological Survey; 15tr SPL/NASA; 16tr SPL/Bernard Edmaier; 16c SPL/Colin Cuthbert; 17tl Corbis/Keren Su; 17c PA/AP; 17c and 17cr Corbis/Randy Wells; 17bl Alamy/Steve Bloom Images; 19tr SPL/NASA; 20tl Corbis/NASA/epa; 20cl Corbis/Reuters/NASA; 20cr SPL/NASA; 21tr Corbis/ Guido Cozzi; 22cl SPL/Mark Garlick; 23b SPL/Detlev van Ravenswaay; 24t Corbis/Dennis di Cicco; 24br SPL/Detlev van Ravenswaay; 25tr Corbis/Jonathan Blair; 26bl SPL/J-C Cuillandre/Canada-France-Hawaii Telescope; 28tr SPL/Mark Garlick; 29tr SPL/Mark Garlick; 30cr SPL/NASA/ESA/R. Sahai & J. Trauger, JPL; 31tr SPL/Russell Kightley; 31b SPL/Konstantinos Kifondis; 34cl Corbis/Sergei Chirikov/epa; 34r SPL/NASA; 35tr Novosti; 35cl Corbis/NASA; 36 SPL/NASA; 37tl SPL/NASA; 37bl Corbis/Jim Sugar; 37br SPL/Lockheed Martin Corp./NASA; 38c SPL/Victor Habbick Visions; 40tr SPL/Julian Baum; 43b SPL/NASA; 48tr Getty Images/Science Faction; 48cl Science Museum Library; 48cr Alamy/Karl Johaentges; 48b SPL/NASA

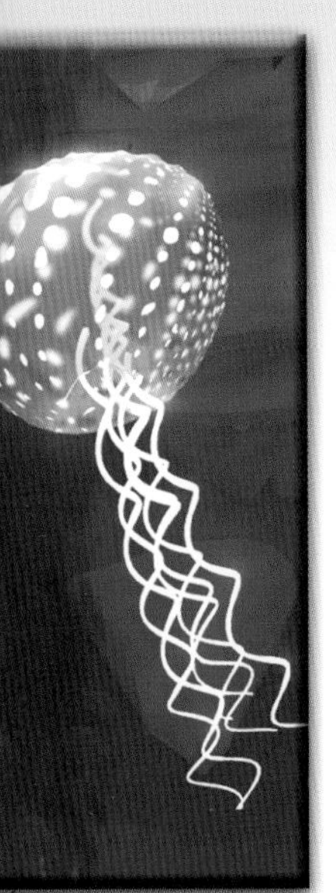

CONTENIDO

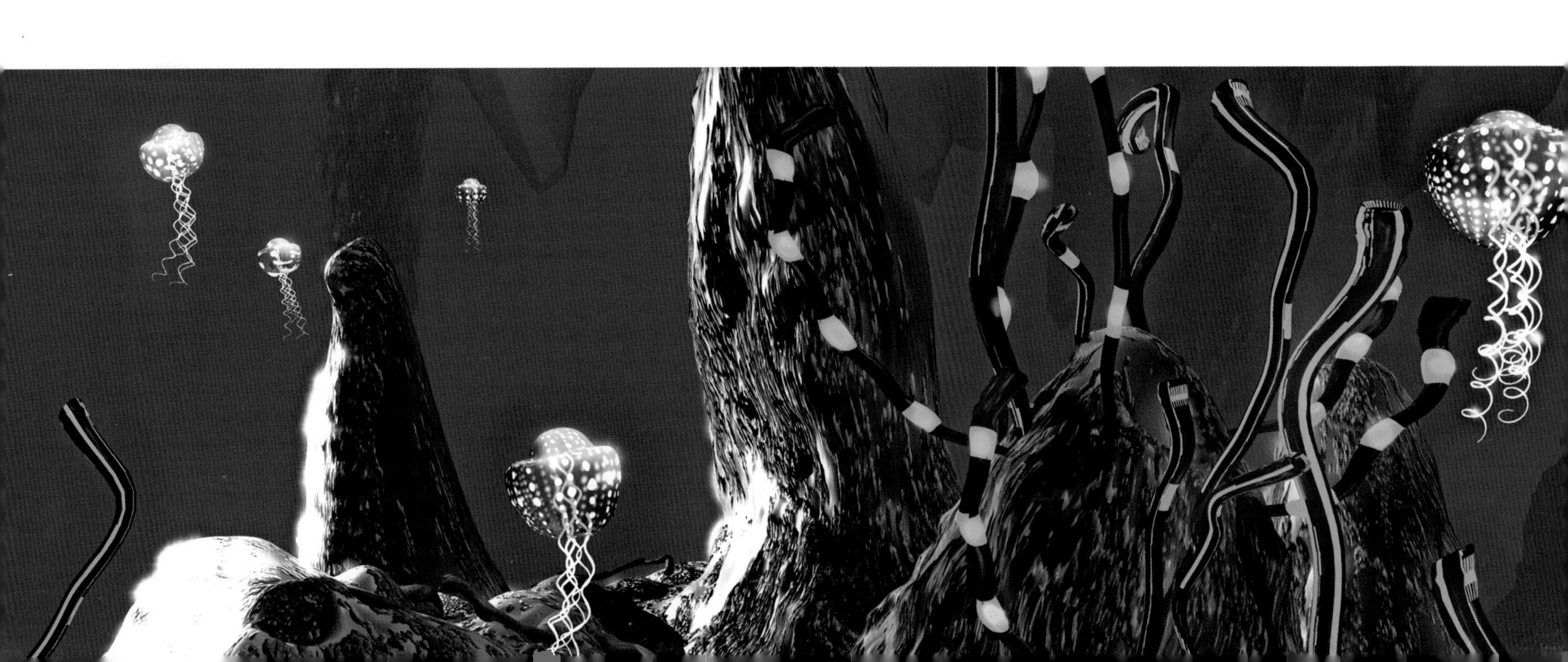

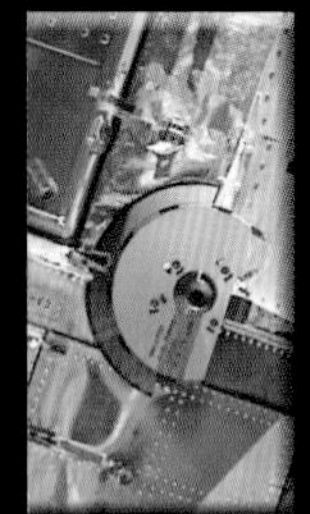

OBSERVAR ESTRELLAS

Durante miles de años la gente ha observado el cielo iluminado por las estrellas y se ha hecho preguntas, que gracias al telescopio ha podido responderse, aunque también ha dado origen a más preguntas. Al intentar entender los planetas extraños y las estrellas distantes, los científicos utilizan las imágenes enviadas por telescopios, ubicados en la Tierra o en el espacio.

Observatorio

En el desierto de Arizona, EE. UU., el Observatorio Nacional Kitt Peak tiene 19 telescopios ópticos. Estos telescopios usan espejos para recoger la luz de las estrellas y formar imágenes de ellas.

Paneles solares convierten la luz del sol en electricidad para suministrar energía al Hubble

Radiotelescopio

Existen muchos tipos de luz que no podemos ver, pero que los telescopios sí pueden captar. Este telescopio, en Hawai, capta ondas radiales de las estrellas. Se necesitaron muchos minutos para tomar la fotografía y durante ese tiempo, parecía como si las estrellas giraran en el cielo mientras la Tierra giraba sobre su propio eje.

Telescopio espacial Hubble

Muchas de las mejores fotografías que tenemos del espacio las produce este telescopio óptico. El Hubble ha estado en órbita desde 1990, fue transportado en un trasbordador espacial. Produce imágenes mucho más claras que las que se pueden tomar con telescopios terrestres. El movimiento del aire en nuestra atmósfera hace que las imágenes se vean borrosas y que veamos que las estrellas titilan. Al flotar más allá de nuestra atmósfera, el Hubble no tiene ese problema.

La cápsula anterior alberga el espejo primario, que recoge la luz y la refleja a un espejo secundario, que enfoca la luz hacia detectores para crear la imagen

> La luz de las estrellas se demora años en llegar hasta nosotros. La luz que vemos hoy, se generó, antes de que nacieras.

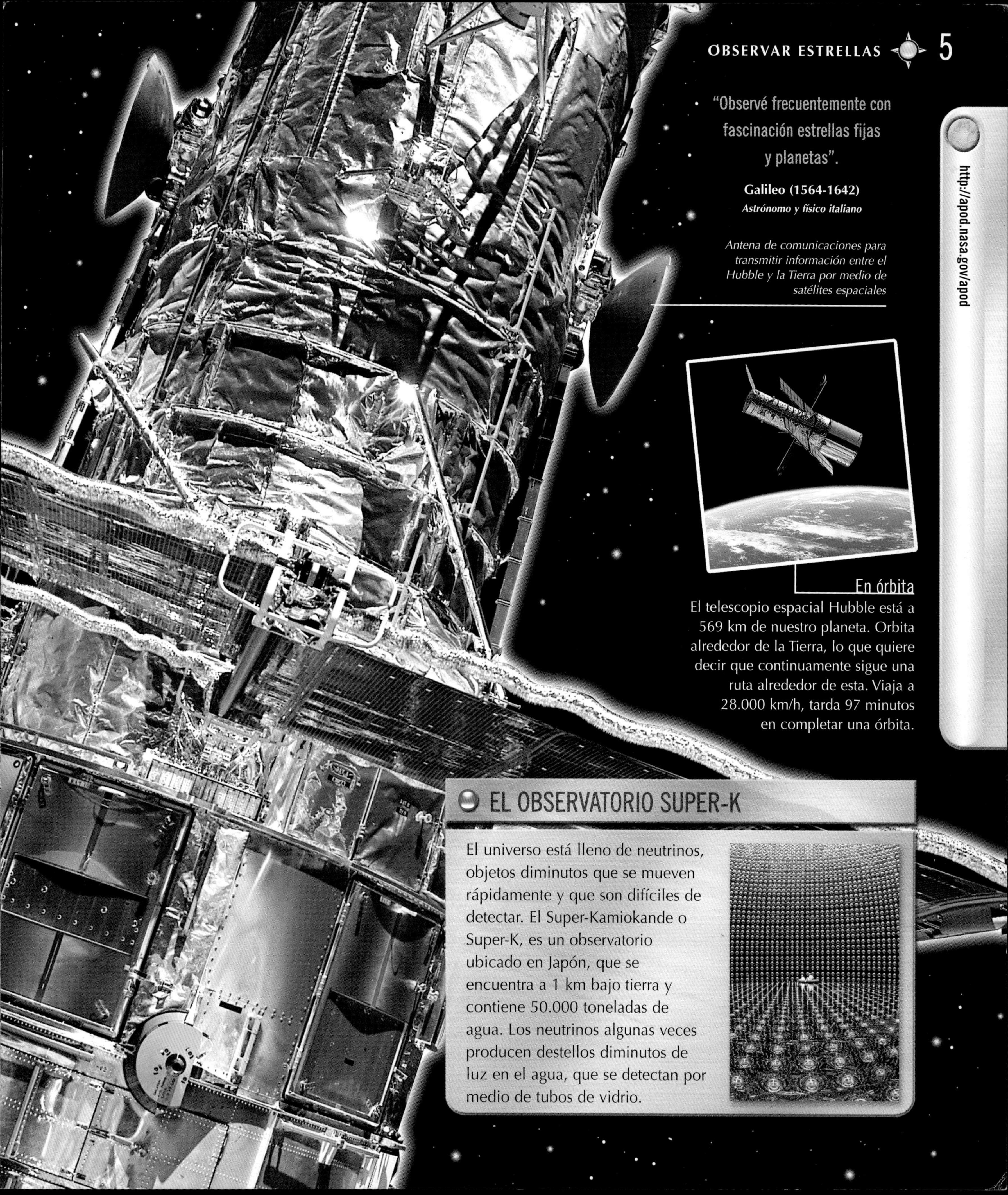

"Observé frecuentemente con fascinación estrellas fijas y planetas".

Galileo (1564-1642)
Astrónomo y físico italiano

Antena de comunicaciones para transmitir información entre el Hubble y la Tierra por medio de satélites espaciales

http://apod.nasa.gov/apod

En órbita
El telescopio espacial Hubble está a 569 km de nuestro planeta. Orbita alrededor de la Tierra, lo que quiere decir que continuamente sigue una ruta alrededor de esta. Viaja a 28.000 km/h, tarda 97 minutos en completar una órbita.

EL OBSERVATORIO SUPER-K

El universo está lleno de neutrinos, objetos diminutos que se mueven rápidamente y que son difíciles de detectar. El Super-Kamiokande o Super-K, es un observatorio ubicado en Japón, que se encuentra a 1 km bajo tierra y contiene 50.000 toneladas de agua. Los neutrinos algunas veces producen destellos diminutos de luz en el agua, que se detectan por medio de tubos de vidrio.

EL UNIVERSO

Hace unos 13.700 millones de años, empezó el universo, y con él el tiempo, la energía y el espacio, que se expandió rápidamente. Esta expansión y el decrecimiento del destello inicial de todo, aún continúan.

Cuando el universo se enfrió lo suficiente, se formaron pequeñas partículas de materia y antimateria. Al terminar el primer segundo, la mayor parte de estas partículas se habían destruido entre sí.

La materia que quedaba no se esparció en forma uniforme en el espacio. Gradualmente, la gravedad de las áreas más densas atrajo materia adicional, aumentando su densidad. Posteriormente, se formaron las galaxias en esas áreas, las cuales se muestran abajo en azul.

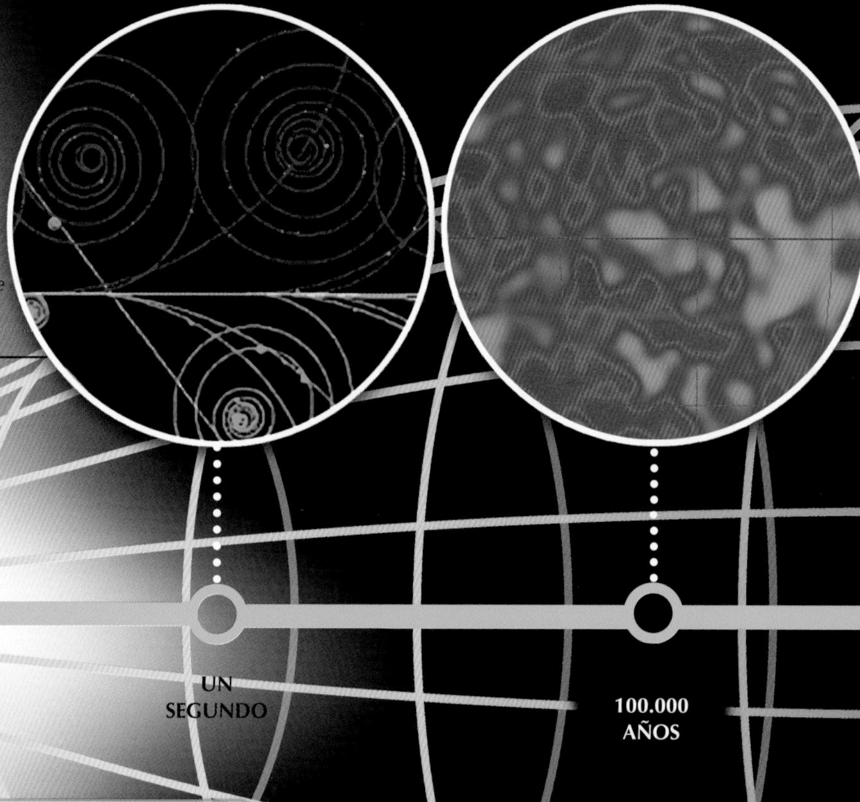

Electrones y antielectrones creados en un laboratorio (esto ocurría naturalmente en el universo primitivo)

La causa del Big Bang es el misterio científico más grande sin resolver.

El universo sufrió un salto súbito en la tasa de su expansión.

HORA CERO

MENOS DE UNA BILLONÉSIMA DE SEGUNDO

UN SEGUNDO

100.000 AÑOS

Materia oscura y energía oscura

La mayor parte del universo es invisible, debido a que cada galaxia está cargada con materia oscura, la cual puede consistir en partículas de tipo desconocido. La totalidad del espacio está llena de energía oscura, una fuerza misteriosa opuesta a la fuerza de la gravedad.

Composición del universo

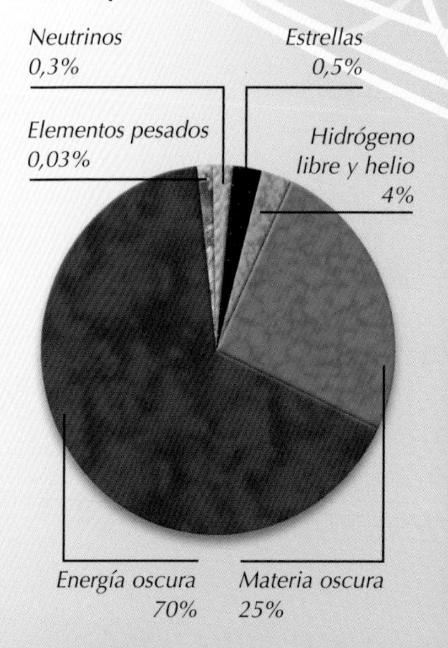

El brillo azul es materia oscura y el área rosada es materia ordinaria.

"El tamaño y la edad del cosmos superan la comprensión del hombre. Nuestro tan pequeño hogar planetario está perdido en algún punto entre la inmensidad y la eternidad".

Carl Sagan (1934-1996)
Astrónomo y astroquímico estadounidense

El Sol tiene aproximadamente una tercera parte de la edad del universo.

www.bbc.co.uk/science/space/origins

Cuando el universo se enfrió a cerca de 3.000 °C, se formaron los átomos (hidrógeno en su mayoría) a partir de partículas pequeñas. Solo entonces pudo brillar la luz a través del espacio.

La primera generación de estrellas se formó con hidrógeno y helio. Construyeron elementos más pesados y al morir, en forma de supernovas, esos elementos se esparcieron por el espacio. La siguiente figura muestra cómo debió verse la formación de la primera estrella.

Los elementos pesados de las primeras estrellas forman parte del Sol y de otras estrellas que existen hoy en día. Tras miles de millones de años de enfriamiento, la temperatura del universo actual cayó a -270 °C.

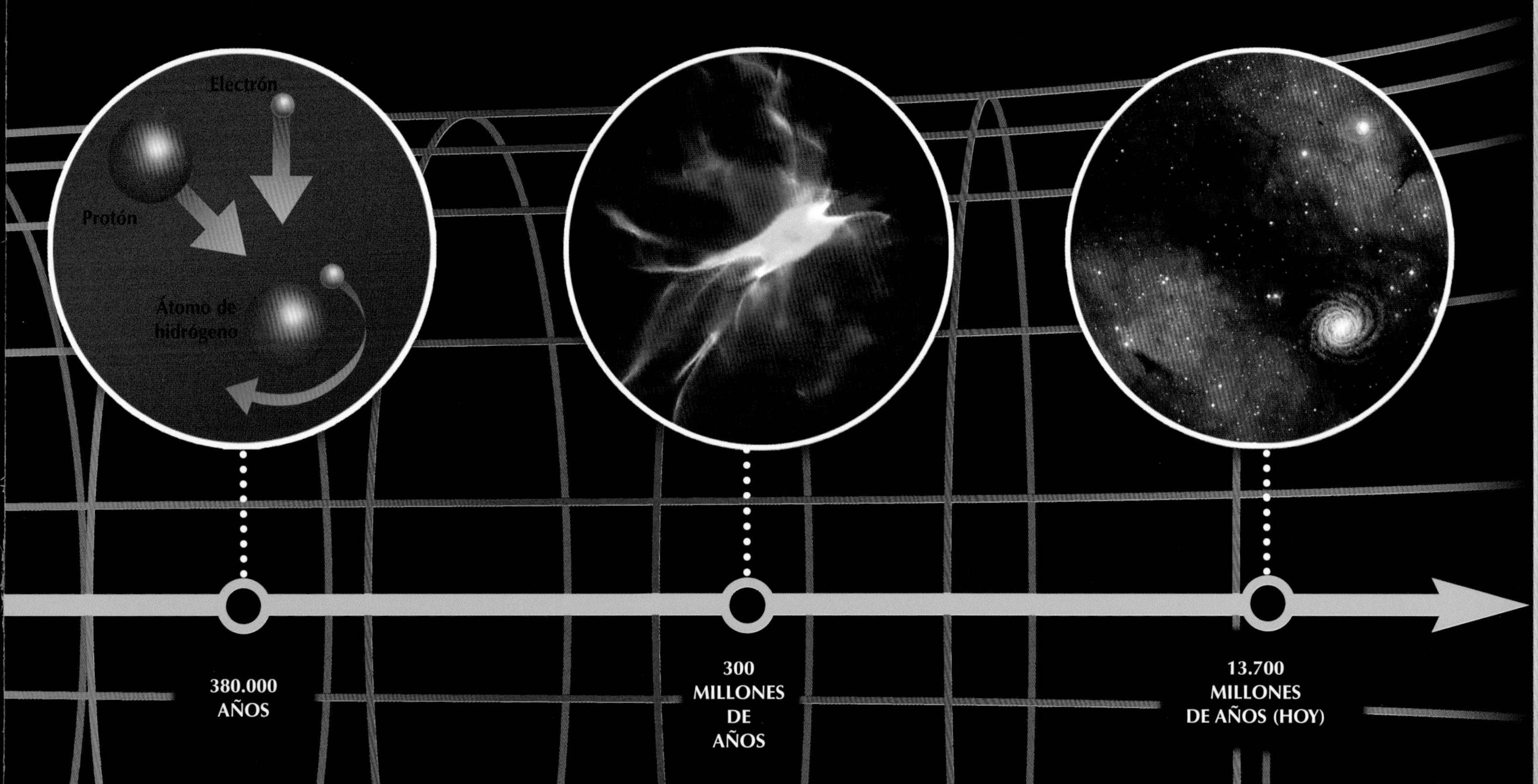

El universo primitivo cambió con rapidez y después aminoró el ritmo, por lo cual esta descripción cronológica no está hecha a escala

EL GRAN ENFRIAMIENTO Y LA GRAN DESINTEGRACIÓN

Existen dos teorías importantes acerca del futuro del universo. Puede seguir expandiéndose indefinidamente, más lentamente pero sin detenerse. Todas las estrellas se quemarían hasta enfriarse y el universo quedaría reducido a la oscuridad. Sin embargo, hay señales y teorías, según las cuales la tasa de expansión del universo está aumentando. Es posible que llegue un día en el cual galaxias, estrellas, planetas y átomos se desintegren totalmente.

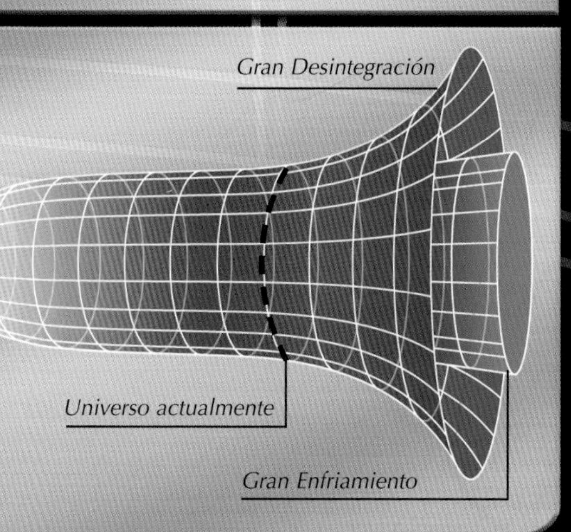

GALAXIAS

En el universo las estrellas están agrupadas en galaxias, que contienen millones o billones de ellas. Muchas galaxias son semejantes a gigantes remolinos de estrellas, mientras que otras se parecen más a discos, bolas o nubes de luz que brillan tenuemente.

GALAXIA – *grupo de estrellas, gas, polvo y materia oscura.*

Las estrellas nuevas nacen en los brazos espirales de esta galaxia

Una galaxia enana

Nadie sabe con seguridad cómo se forman las galaxias, pero es posible que su vida comience como la de esta joven galaxia, que es mucho más pequeña que la nuestra. El brillo rojo en el centro es la luz de viejas estrellas; mientras las nuevas, en la parte externa, brillan con luz azul.

La galaxia Whirlpool

Las galaxias espirales como esta, tienen brazos curvos y caminos de polvo negro, donde nacen estrellas. Como la mayoría de las galaxias, la Whirlpool se aleja de nosotros a medida que el universo se expande. Cada segundo, la galaxia se encuentra 500 km más lejos.

Espiral de Andrómeda

Esta galaxia es el objeto más distante que podemos ver a simple vista. Es trillones de veces más brillante que el Sol, pero se encuentra tan lejos (2,5 millones de años luz), que solo podemos verla en las noches más oscuras.

> Hace millones de años, las galaxias eran azules debido a la gran cantidad de estrellas que se formaban en ellas.

www.space.com/galaxy

Este brillo difuso es una galaxia pequeña que pasa cerca de la galaxia Whirlpool. Su gravedad puede estar provocando el nacimiento de estrellas en los brazos de Whirlpool.

Las galaxias emanan radiación visible e invisible. Esta fotografía muestra la luz visible, la radiación ultravioleta de nuevas estrellas en el anillo exterior y la radiación de calor de estrellas más viejas que se encuentran en el centro

NUESTRA GALAXIA: LA VÍA LÁCTEA

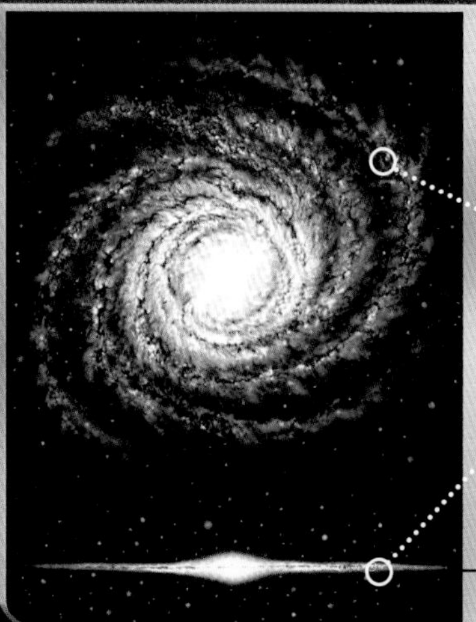

El sistema solar se encuentran en uno de los brazos externos de la Vía Láctea.

De costado, la galaxia se vería plana con una protuberancia en el centro, donde están las viejas estrellas que conforman su núcleo amarillo

La raya lechosa de luz en nuestro cielo nocturno es nuestra propia galaxia, la Vía Láctea, vista desde adentro. La galaxia contiene millones de estrellas, alrededor de las cuales orbitan planetas que podrían parecerse a los de nuestro sistema solar.

La Vía Láctea se ve más brillante en el hemisferio sur, debido a que el polo sur está orientado un poco hacia el centro brillante de la galaxia.

SISTEMA SOLAR

La gravedad del Sol se extiende en el espacio, y mantiene atrapados a los planetas, lunas, escombros y polvo que conforman el sistema solar. Todo en él se mueve continuamente alrededor del Sol, en un perfecto equilibrio entre la gravedad y la velocidad.

GRAVEDAD – *fuerza que atrae todos los objetos hacia otro.*

Bloques de construcción

Los planetas interiores están compuestos principalmente por roca y metal, mientras que los planetas exteriores están compuestos en su mayoría por hielo y gas. Esto se debe a que cuando el Sol empezó a brillar, las regiones internas del sistema solar se calentaron tanto que solo los planetas de roca y metal pudieron sobrevivir allí.

MERCURIO
(*Mariner 10* llegó allí por primera vez en 1974)
Volumen: 0,06 Tierras
Masa: 0,06 Tierras
Duración del día: 176 días terrestres
Duración del año: 88 días terrestres

VENUS
(*Mariner 2* llegó allí por primera vez en 1962)
Volumen: 0,85 Tierras
Masa: 0,82 Tierras
Duración del día: 117 días terrestres
Duración del año: 225 días terrestres

TIERRA
Volumen: 1,09 x 10^{12} km^3
Masa: 5,98 x 10^{24} kg
Duración del día: 24 horas
Duración del año: 365,24 días

MARTE
(*Mariner 4* llegó allí por primera vez en 1965)
Volumen: 0,15 Tierras
Masa: 0,11 Tierras
Duración del día: 24 horas 37 minutos
Duración del año: 687 días terrestres

JÚPITER
(*Pioneer 10* llegó allí por primera vez en 1973)
Volumen: 1.266 Tierras
Masa: 318 Tierras
Duración del día: 9 horas 55 minutos
Duración del año: 12 años terrestres

Distancias desde el Sol

Los planetas que están más cerca del Sol están igualmente más cerca uno de otro. El sistema solar comenzó a existir como una nube de polvo y gas, y el Sol se formó en su parte más densa. Por lo tanto, en la región más cercana a nuestra estrella había más material para la formación de planetas.

SOL
Mercurio 58 millones de km
Venus 108 millones de km
Tierra 150 millones de km
Marte 228 millones de km
Júpiter 778 millones de km
Saturno 1.427 millones de km

 > Hace miles de millones de años, había muchos planetas en el sistema solar.

VISTA DESDE EL ESPACIO EXTERIOR

Si pudiéramos salir del sistema solar y mirarlo en su totalidad, el área iluminada de los planetas sería muy pequeña para poder verla. Más allá de los planetas se encuentra el Cinturón de Kuiper, que parece un anillo y está formado por objetos helados. El Cinturón de Kuiper se une con la Nube de Oort, una enorme área en forma de esfera hueca, que contiene el núcleo de los cometas. El sistema solar tiene cerca de dos años luz de un extremo al otro.

Región vacía

Corte transversal de la Nube de Oort, la cual rodea el sistema solar.

"En una era histórica de 20 a 30 años, hemos visitado, gracias a los descubrimientos realizados por naves espaciales, todos los planetas del sistema solar, desde Mercurio hasta Neptuno".

Carl Sagan (1934-1996)
Astrónomo y astroquímico estadounidense

SATURNO
(*Pioneer 11* llegó allí por primera vez en 1979)
Volumen: 752 Tierras
Masa: 95 Tierras
Duración del día:
10 horas 39 minutos
Duración del año:
29,5 años terrestres

URANO
(*Voyager 2* llegó allí por primera vez en 1986)
Volumen: 64 Tierras
Masa: 15 Tierras
Duración del día:
17 horas 14 minutos
Duración del año:
84 años terrestres

NEPTUNO
(*Voyager 2* llegó allí por primera vez en 1989)
Volumen: 59 Tierras
Masa: 17 Tierras
Duración del día:
16 horas 7 minutos
Duración del año:
165 años terrestres

Urano
2.871 millones de km

Neptuno
4.497 millones de km

EL SOL

Nuestro Sol es una gran bola de gas incandescente, es tan grande, que en él caben un millón de Tierras. Sin su luz y calor no habría vida en nuestro planeta, y nuestra atmósfera se congelaría. A pesar de que se encuentra a 150 millones de kilómetros, su luz es lo suficientemente luminosa para lastimarnos los ojos. Así como la Tierra gira cada día, el Sol se mueve por los cielos.

SOL – *nuestra estrella, alrededor de la cual giran la Tierra y los demás planetas del sistema solar.*

Horno nuclear

El Sol está compuesto sobre todo de hidrógeno, una sustancia ligera. En su núcleo, reacciones parecidas a las de las bombas nucleares convierten el hidrógeno en helio y liberan la enorme energía que vemos como luz solar.

Espectáculos de luz
El Sol envía partículas diminutas, luz y calor. Cerca al polo norte y al polo sur de la Tierra, esas partículas quedan atrapadas en el campo magnético de nuestro planeta, produciendo extrañas y coloridas luces en el cielo nocturno, conocidas como auroras.

> Cada segundo el Sol se vuelve cuatro millones de toneladas más luminoso.

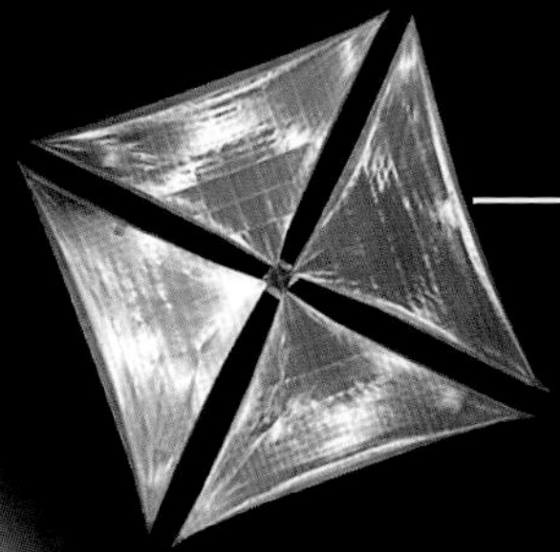

Navegación solar

La luz del Sol presiona suavemente todo lo que toca. Las velas solares son naves ligeras y brillantes que vagan por el espacio impulsadas por la luz solar, igual que los barcos que navegan impulsados por el viento.

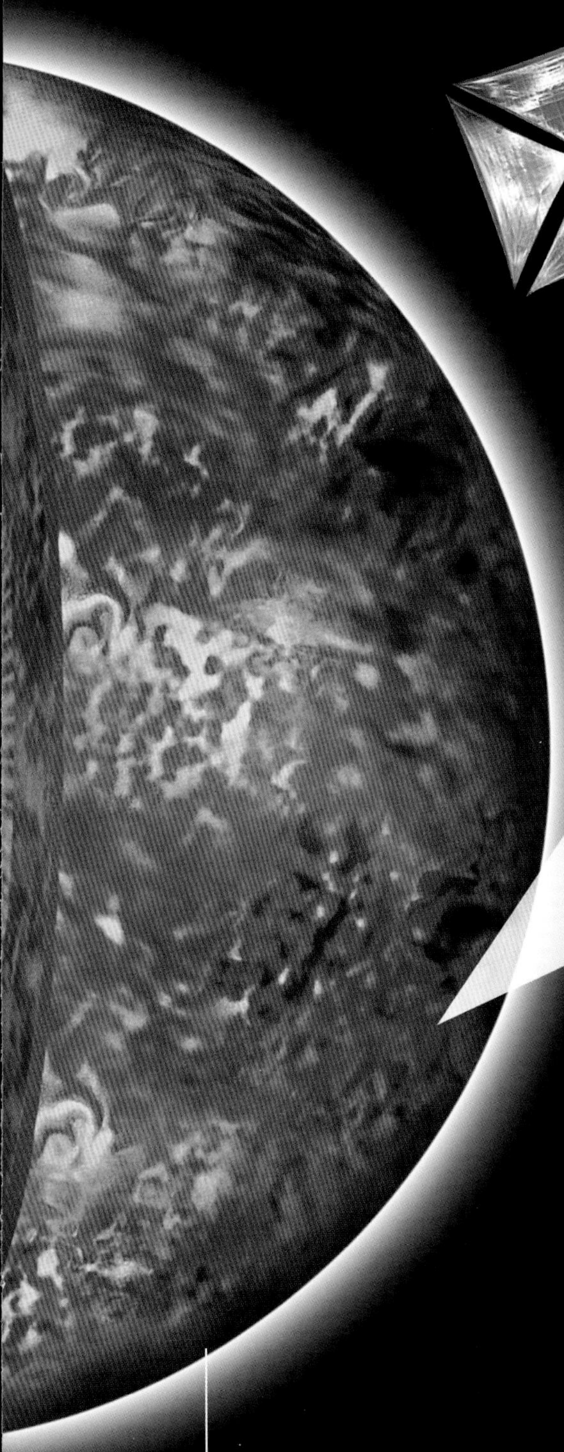

Prominencia solar

Una prominencia es una nube gigantesca de gas resplandeciente, mucho más grande que la Tierra, que flota en la atmósfera del Sol.

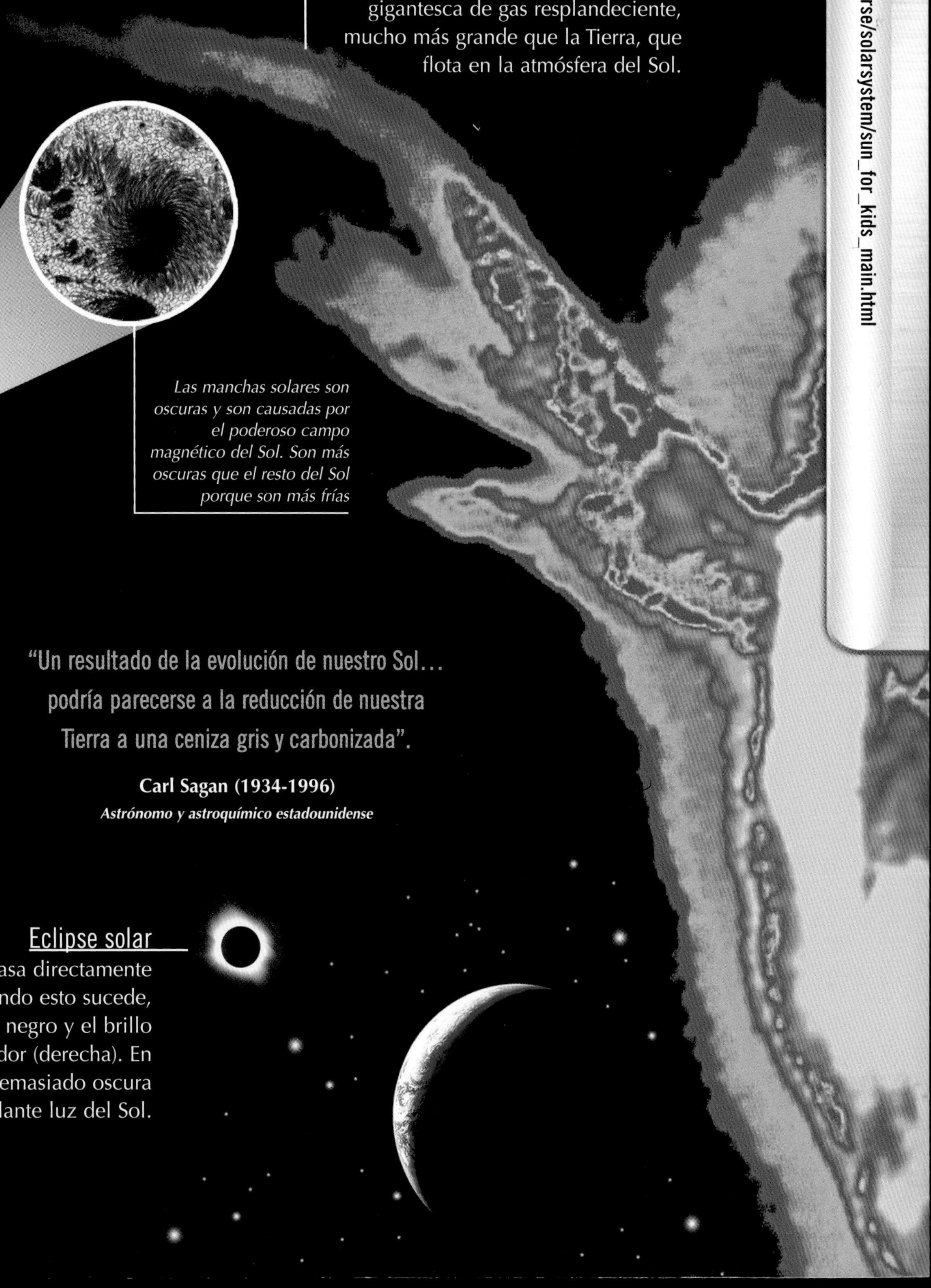

Las manchas solares son oscuras y son causadas por el poderoso campo magnético del Sol. Son más oscuras que el resto del Sol porque son más frías

"Un resultado de la evolución de nuestro Sol... podría parecerse a la reducción de nuestra Tierra a una ceniza gris y carbonizada".

Carl Sagan (1934-1996)

Astrónomo y astroquímico estadounidense

La temperatura de la superficie del Sol es cercana a 5.500 °C

Eclipse solar

Cada cierto tiempo la Luna pasa directamente entre el Sol y la Tierra. Cuando esto sucede, parece como si el Sol se volviera negro y el brillo de su corona aparece a su alrededor (derecha). En otras ocasiones, la corona es demasiado oscura para poderla ver contra la brillante luz del Sol.

www.nasa.gov/vision/universe/solarsystem/sun_for_kids_main.html

MERCURIO Y VENUS

AÑO – tiempo que tarda un planeta en dar una vuelta completa alrededor del Sol.

Mercurio y Venus están mucho más cerca del Sol que nuestro planeta, lo que significa que son mucho más calientes. También se mueven más rápido alrededor del Sol, y por eso sus años son más cortos que los nuestros.

¿Cráteres de colores?

Igual que a muchas otras fotografías tomadas en el espacio, a esta imagen, tomada por el *Mariner 10*, se le ha puesto color con la intención de indicar sus diferentes características.

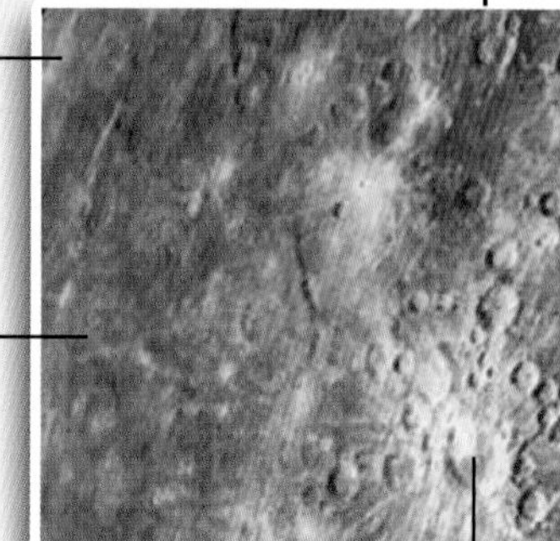

No se tienen datos acerca de esta área y por eso se deja plana en las imágenes del planeta

La superficie de Mercurio es accidentada, quizá debido a que el planeta se enfrió y se encogió, poco después de su formación

Mercurio

Es el más pequeño de los planetas y el más cercano al Sol. Se enfría rápidamente en la noche debido a su delgada atmósfera. Mientras que en el día la temperatura alcanza los 430 °C, en las noches las temperaturas son más bajas que en la Antártida. Esta imagen reúne fotografías tomadas por la sonda espacial *Mariner 10*, con la cual se descubrió que el planeta es rocoso y tiene muchos cráteres.

> A pesar de que Mercurio está más cerca del Sol, el planeta más caliente es Venus.

Mapa de Venus

Las densas nubes de Venus no dejan que los telescopios puedan captar su superficie. Por esta razón, en 1989, la sonda espacial *Magallanes* orbitó el planeta y trazó un mapa por medio de un radar, revelando que la superficie de Venus es joven y solo tiene quinientos millones de años.

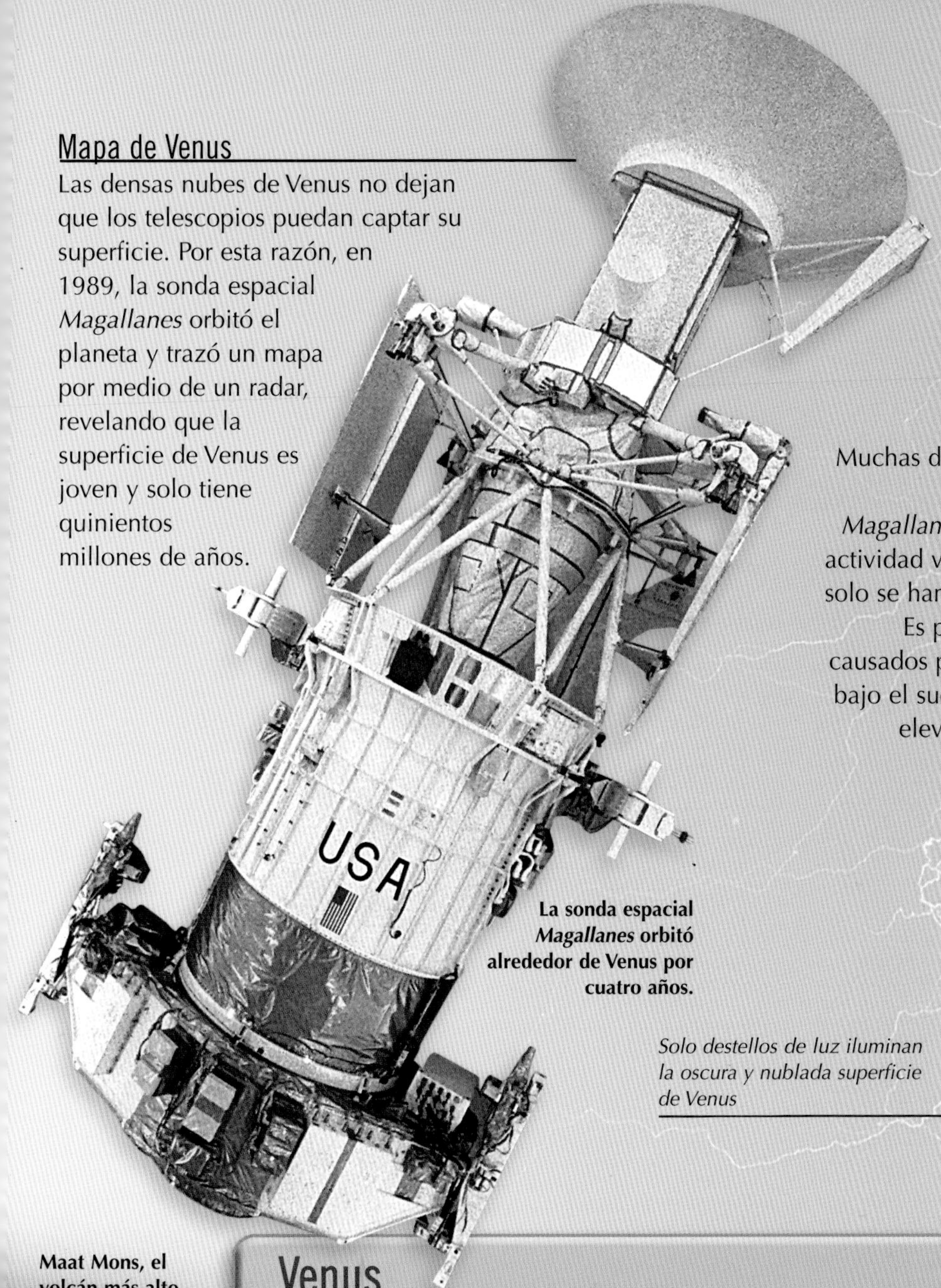

Domos de lava

Muchas de las características de Venus que descubrió *Magallanes*, son producto de la actividad volcánica. Estos domos solo se han visto en este planeta. Es posible que hayan sido causados por erupciones de lava bajo el suelo, que produjeron la elevación de la superficie.

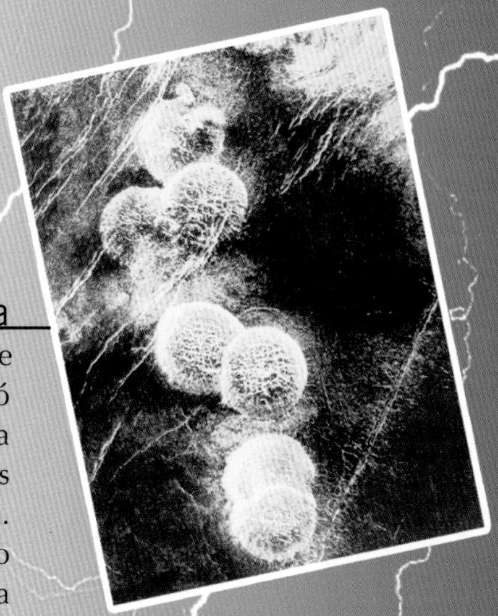

www.space.com/mercury and www.windows.ucar.edu/tour/link=/venus/venus_il.html

La sonda espacial *Magallanes* orbitó alrededor de Venus por cuatro años.

Solo destellos de luz iluminan la oscura y nublada superficie de Venus

Maat Mons, el volcán más alto de Venus

Venus

Alguna vez se pensó que Venus, nuestro vecino más cercano era similar a la Tierra en la época prehistórica. En realidad, Venus es un planeta sin vida con una atmósfera tan densa como nuestros océanos. Lluvias de ácido sulfúrico caen del nublado cielo amarillo, evaporándose antes de llegar al suelo. El efecto invernadero calienta la superficie del planeta a una temperatura de 480 ºC.

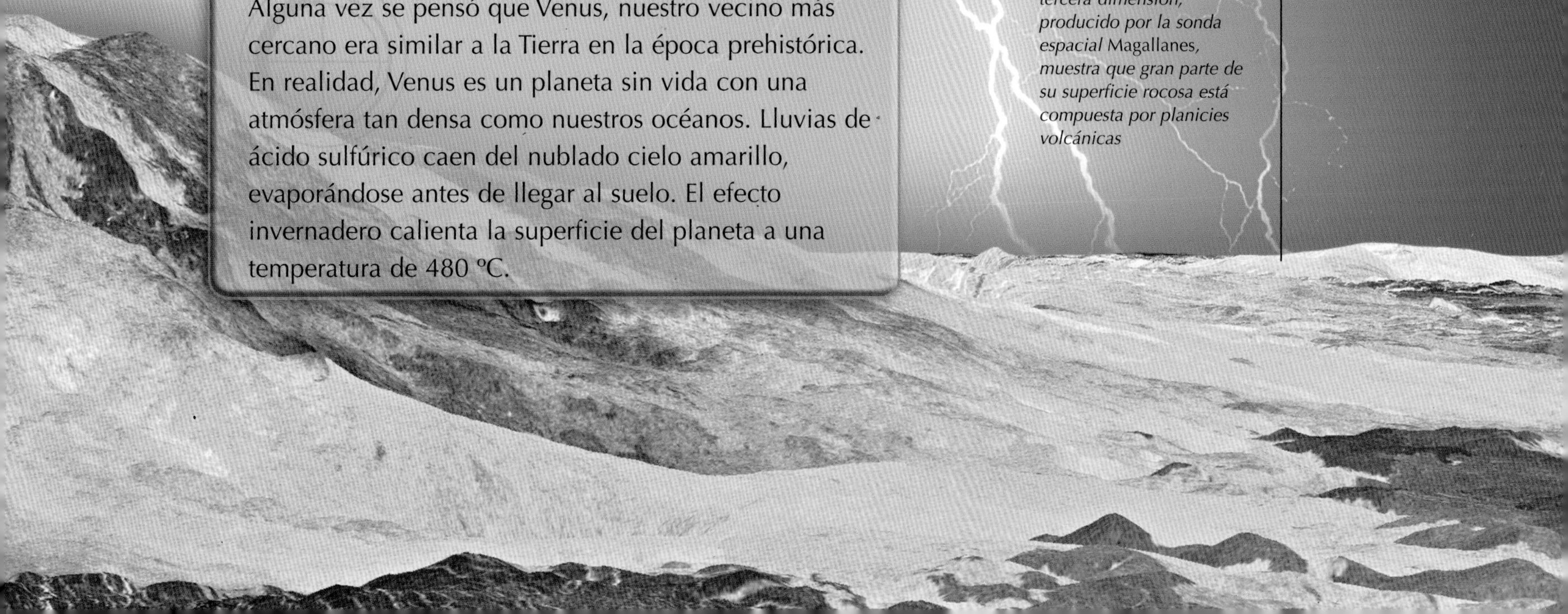

El mapa de Venus en tercera dimensión, producido por la sonda espacial Magallanes, *muestra que gran parte de su superficie rocosa está compuesta por planicies volcánicas*

TIERRA

Como el mundo se calienta gradualmente, nuestro hielo polar se está derritiendo, causando inundaciones en zonas bajas

La distancia entre la Tierra y el Sol es lo que permite que haya vida en nuestro planeta. Los seres vivos necesitan agua líquida, y si estuviéramos más lejos del Sol, toda el agua se congelaría, como en Marte. Si estuviéramos más cerca, el agua se evaporaría, como en Venus.

Las plantas producen el oxígeno que todos los animales necesitan para respirar. Las plantas también absorben los gases de desecho que los animales expelen al respirar.

Atmósfera de la Tierra

Una atmósfera es la capa de gases contenidos alrededor de un planeta por la fuerza de gravedad. Los gases atmosféricos de la Tierra mantienen la superficie caliente durante la noche y la protegen de los peligrosos rayos solares en el día. La atmósfera también ayuda a que el ciclo del agua se cumpla. Cuando el agua de los océanos se evapora, se forman nubes en la capa más baja de la atmósfera. Las nubes traen lluvia a la Tierra.

"No heredamos la Tierra de nuestros antepasados, la tomamos prestada de nuestros hijos".

Refrán de los indígenas Haida

LÍQUIDO – uno de los estados de la materia en el cual una sustancia es fluida, toma la forma de su contenedor y forma una superficie dentro de este.

Si se derritiera todo el hielo que hay en la Tierra, los mares subirían cien metros.

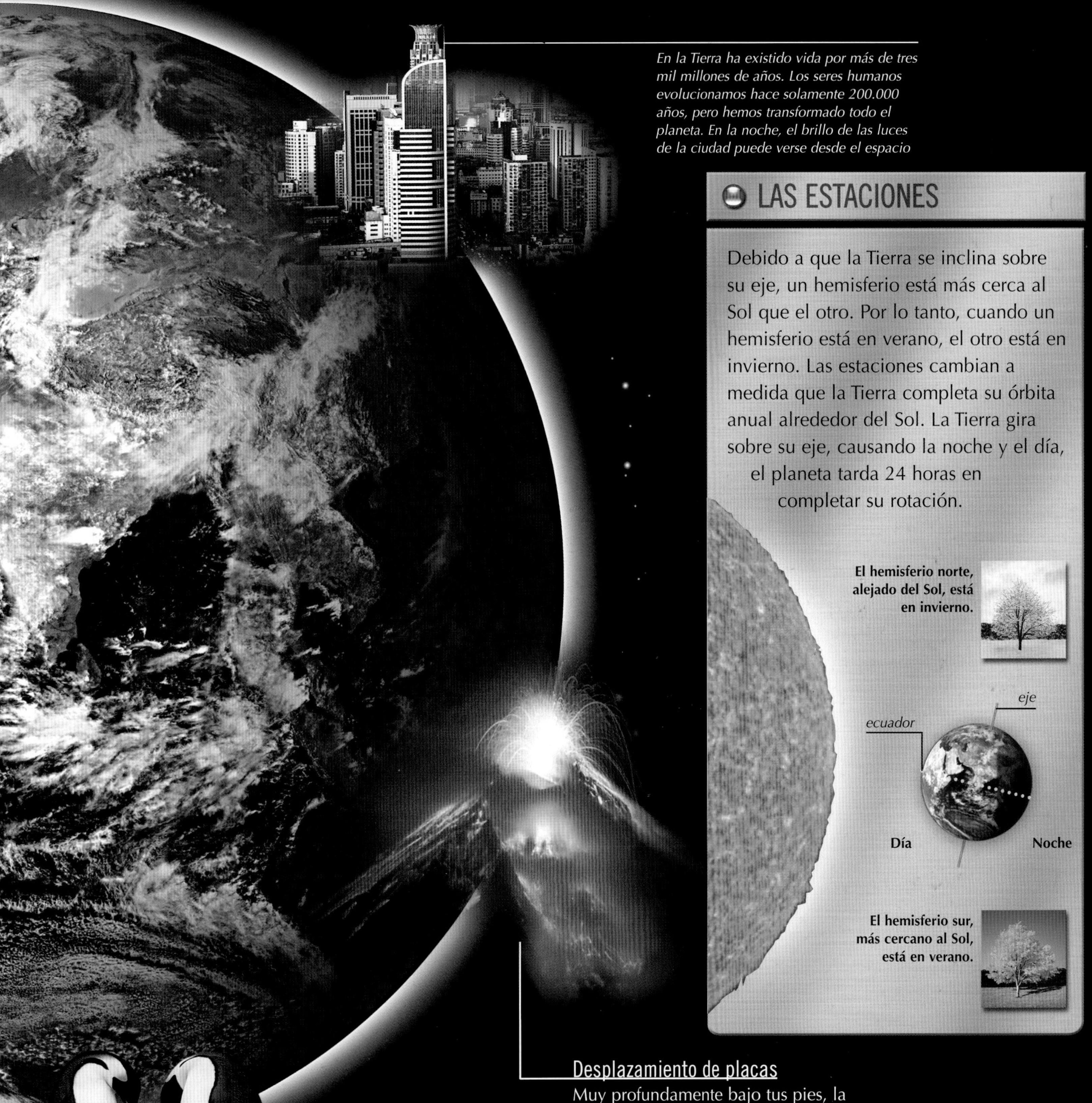

En la Tierra ha existido vida por más de tres mil millones de años. Los seres humanos evolucionamos hace solamente 200.000 años, pero hemos transformado todo el planeta. En la noche, el brillo de las luces de la ciudad puede verse desde el espacio

LAS ESTACIONES

Debido a que la Tierra se inclina sobre su eje, un hemisferio está más cerca al Sol que el otro. Por lo tanto, cuando un hemisferio está en verano, el otro está en invierno. Las estaciones cambian a medida que la Tierra completa su órbita anual alrededor del Sol. La Tierra gira sobre su eje, causando la noche y el día, el planeta tarda 24 horas en completar su rotación.

El hemisferio norte, alejado del Sol, está en invierno.

El hemisferio sur, más cercano al Sol, está en verano.

Desplazamiento de placas

Muy profundamente bajo tus pies, la Tierra es tan caliente que la roca es líquida. En ese mar ardiente, flotan grandes placas de piedra. Cuando estas chocan entre sí, crean volcanes y generan terremotos.

Existen más de dos millones de especies en la Tierra, cada una adaptada a un lugar particular, como los pingüinos a su helado hogar.

http://science.nationalgeographic.com/science/earth.html

MARTE

Marte, el planeta rojo, ha fascinado a la gente por más de un siglo, desde que los astrónomos creían ver canales en él, construidos por una civilización extraterrestre. Los canales fueron una ilusión, pero nuestra fascinación por las posibilidades de vida en Marte continúa. Marte es el segundo planeta más cercano a nosotros y el más parecido al nuestro, con capas de hielo, estaciones, volcanes y desiertos. Hace mucho tiempo también tuvo lagos y ríos.

Sistema de cámara panorámica para permitir al explorador una amplia visión del área

Explorador marciano *ExoMars*.

Panel solar

Sus seis fuertes ruedas pemiten recorrer el terreno rocoso del planeta

En 1976 la sonda espacial *Viking 2* llegó a Marte y tomó esta fotografía. En ella se ve un cielo color rosado, a causa de las partículas de polvo rojo que hay en la atmósfera.

ExoMars

El explorador *ExoMars* debe comenzar a investigar el planeta rojo en 2014, como parte de un proyecto de la Agencia Espacial Europea (ESA). Una nave espacial llevará al explorador, que usará globos o paracaídas para disminuir su velocidad y descender seguramente. El explorador analizará las rocas del planeta, ahondando en el hecho de que el suelo marciano está lleno de químicos que quemarían la piel de los seres humanos, descubrimiento que fue realizado por el *Viking 2*.

MARTE – cuarto planeta del sistema solar, llamado así en honor a Marte, el dios romano de la guerra.

Marte es rojo porque está oxidado, debido a que hace mucho tiempo, el hierro de su árido suelo se combinó con oxígeno.

HIELO EN MARTE

La mancha azul es un estanque de hielo. Se encuentra en un cráter en las vastas planicies de Marte. La fotografía la tomó el *Mars Express Orbiter* de la ESA en 2005. No puede existir agua en forma líquida porque la actual presión atmosférica del planeta es muy baja.

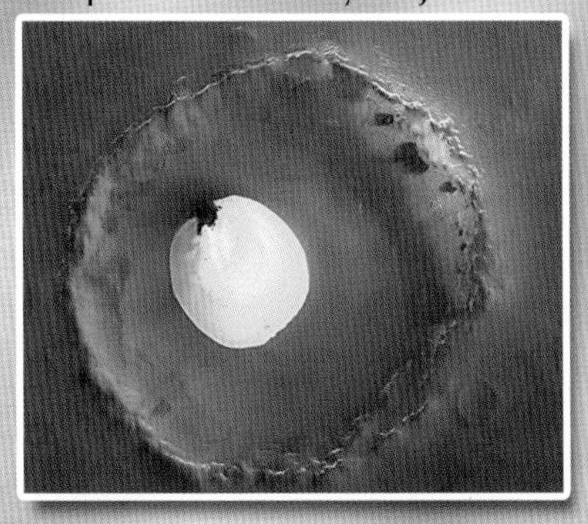

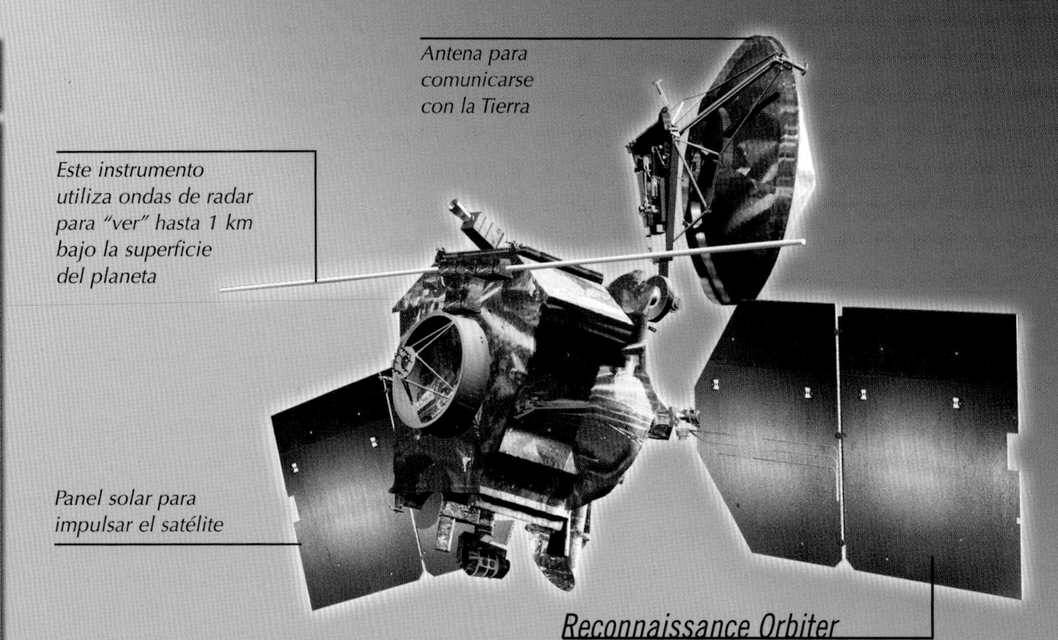

Reconnaissance Orbiter

Esta nave espacial llegó a Marte en 2006 y todavía continúa girando alrededor del planeta. Su misión es tomar fotografías de la superficie del planeta, monitorear el clima y estudiar las rocas y el hielo. Está también buscando los mejores lugares para que desciendan las naves espaciales del futuro. Algún día, se usará para enviar mensajes de otras misiones a la Tierra.

El congelado norte

El *Reconnaissance Orbiter* tomó esta fotografía del polo norte de Marte. Muestra acantilados escarpados cubiertos de hielo, de 2 km de altura aproximadamente.

En Marte hay hielo permanentemente, tanto en el polo norte como en el sur. Al igual que en la Tierra, las capas de hielo crecen o se reducen de acuerdo con la estación.

"Si (los exploradores de Marte) encuentran una roca que pruebe que alguna vez hubo vida en Marte, ese sería sin duda alguna, el descubrimiento científico más grande que jamás se haya hecho".

David McNab y James Younger
Escritores y productores de documentales científicos

La Gran Mancha Roja de Júpiter es un huracán gigante, mucho más grande que la Tierra, y existe hace siglos

Ganímedes, la luna más grande del sistema solar, es más grande que Mercurio.

Calisto está compuesta principalmente de hielo.

Io tiene volcanes en erupción.

Bajo su corteza de hielo, Europa tiene mares líquidos.

JÚPITER Y SATURNO

Júpiter y Saturno son gigantes gaseosos, mundos enormes con densas atmósferas que ocultan sus núcleos de hielo y roca. Los anillos de Saturno son de hielo. Cada planeta tiene por lo menos 60 lunas, y ambos giran tan rápido que sus días son muy cortos. Tienen la forma esférica aplanada de una toronja. Desde su formación, ambos continúan enfriándose, y el calor restante genera tormentas que no desaparecen.

Muchas lunas

Júpiter tiene al menos 63 lunas, muchas de ellas bloqueadas por la gravedad, de modo que un lado siempre mira hacia el planeta. Algunas, como Io, se calientan con los efectos de dilatación y compresión de la gravedad de Júpiter. Otras se desintegran en el espacio y su polvo forma anillos alrededor del planeta.

NÚCLEO – *centro de un planeta.*

> Júpiter es tan grande, que en él podrían caber todos los demás planetas.

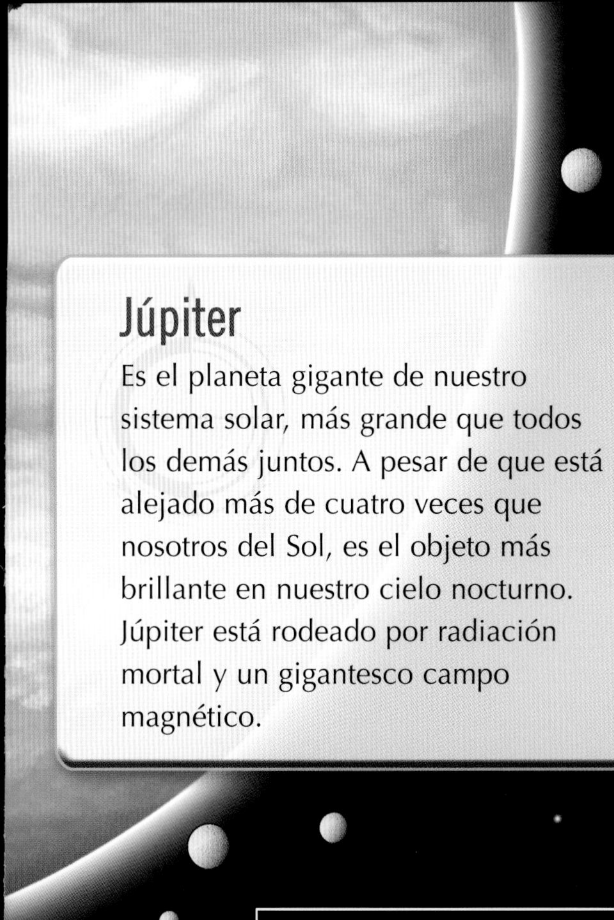

Júpiter

Es el planeta gigante de nuestro sistema solar, más grande que todos los demás juntos. A pesar de que está alejado más de cuatro veces que nosotros del Sol, es el objeto más brillante en nuestro cielo nocturno. Júpiter está rodeado por radiación mortal y un gigantesco campo magnético.

Mundo liviano

A pesar de que Saturno pesa más de 95 veces que la Tierra, por su tamaño, sigue siendo el planeta más liviano del sistema solar. Es tan liviano que podría flotar en el agua.

Aquí, los anillos de Saturno se muestran en colores distintos a los reales. Los anillos de color rosa solo contienen rocas grandes, los verdes y los azules incluyen fragmentos más pequeños.

www.space.com/jupiter y www.space.com/saturn

Saturno

El sistema de anillos de Saturno está compuesto por millones de fragmentos de roca helada en órbita, que varían en tamaño, desde partículas de polvo hasta grandes y redondas rocas. Estos pueden ser los restos de un objeto del tamaño de una luna que se desvió de su rumbo llegando a estar tan cerca de Saturno que se desintegró por la gravedad del planeta.

URANO Y NEPTUNO

Son los dos planetas más lejanos del sistema solar; y son gigantes gaseosos como Júpiter y Saturno. Muy lejos en el espacio, el Sol brilla tenuemente, por lo que estos mundos son fríos y oscuros. Como se mueven tan lentamente alrededor del Sol en grandes órbitas, tienen años muy largos, un año en Urano equivale a 84 años terrestres y el de Neptuno a 165.

ÓRBITA – *camino que recorre un objeto alrededor de otro en el espacio.*

Urano

El astrónomo inglés William Herschel (1738-1822) descubrió Urano en 1781 y la primera sonda espacial en llegar al planeta lo hizo 197 años más tarde. Este planeta gigante, rodeado de anillos oscuros de piedras redondas y negras, es de color verde debido al metano de su atmósfera. El eje inclinado de Urano, podría deberse a una colisión con un planeta errante ocurrida hace millones de años.

Miranda, una luna de Urano.

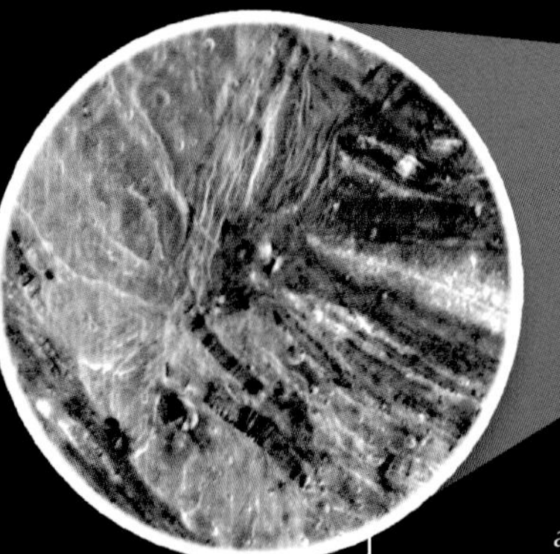

La superficie de Miranda es tan accidentada, que algunos científicos piensan que esta se desintegró hace mucho tiempo y que la gravedad volvió a unir los fragmentos

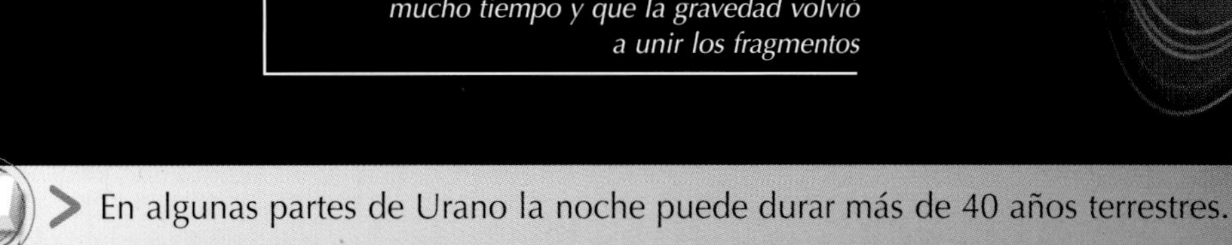

> En algunas partes de Urano la noche puede durar más de 40 años terrestres.

Viajes a mundos lejanos

Las sondas espaciales gemelas *Voyager 1* y *Voyager 2*, exploraron los planetas lejanos en las décadas de 1970 y 1980. Ambas sondas viajarán más allá del sistema solar por muchos miles de años, aunque dejarán de funcionar en la década de 2020. Dentro de unos 40.000 años, *Voyager 2* llegará a una estrella cercana.

Instrumentos para registrar datos de energía y luz

Los generadores proporcionan energía eléctrica

Antena

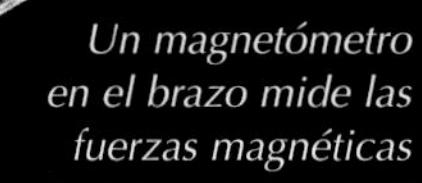

Un magnetómetro en el brazo mide las fuerzas magnéticas

El *Voyager 2* utilizó la gravedad de Urano para impulsarse hacia Neptuno.

Grandes nubes blancas de metano congelado corren a través de un oscuro sistema de tormentas sobre Neptuno, el planeta con más vientos en el sistema solar

www.space.com/uranus y www.space.com/neptune

"Yo vi, oh, el primero de toda la humanidad,
yo vi el disco de mi nuevo planeta deslizándose
más allá de nuestras conmociones, en esa reino de paz".

Descubrimiento de Urano por Herschel
Del Poema de Alfred Noyes "Los portadores de la antorcha", 1937

Neptuno

El color del planeta más remoto de nuestro sistema solar le da su nombre, Neptuno, dios del mar azul. A diferencia de otros gigantes, algunos de los anillos de Neptuno son arcos incompletos. Este planeta frío genera algo de calor propio y esto es lo que genera su clima. Sin embargo, su luna más grande, Tritón, seguramente es la luna más fría de todo el sistema solar.

Gran parte de nuestro aire está formado por nitrógeno, que en su mayoría está congelado en Tritón, la luna de Neptuno. Sin embargo, a veces sale en chorros líquidos, antes de ser arrastrado por vientos de gran altitud

ESCOMBROS ESPACIALES

Las superficies de los cometas (trozos de hielo y arena) cercanos al Sol, hierven y se desintegran liberando polvos y gases que forman las colas. La cola azul pálido detrás del cometa Hale-Bopp es gas, la cola más brillante es polvo

El sistema solar está conformado por una estrella, ocho planetas, cerca de 170 lunas, planetas enanos, cometas, meteoroides, asteroides, el Cinturón de Kuiper, y billones de otros objetos, desde granos diminutos de polvo hasta trozos de hielo, roca o metal de cientos de kilómetros de ancho. Estos escombros son residuos del material que formó el sistema solar, y muchos de ellos han permanecido intactos por millones de años.

Las estrellas fugaces (meteoros) son los rastros de piezas pequeñas de escombros espaciales que caen (meteoroides) y que brillan cuando se queman en nuestra atmósfera

En este lejano planeta, no hay atmósfera en la cual el asteroide pueda quemarse. La ardiente huella fue causada por misiles nucleares enviados desde la Tierra en un intento por destruir el asteroide

ASTEROIDE – *mundo pequeño rocoso o metálico que gira alrededor del Sol.*

Mimas, una de las lunas de Saturno, quedó prácticamente destruida por el objeto que chocó con ella y creó este enorme cráter.

PLUTÓN, EL PLANETA ENANO

Plutón y la más grande de sus tres lunas, Charon (derecha).

Plutón, descubierto en 1930, es uno de los tres planetas enanos conocidos del sistema solar, los cuales son mundos pequeños y redondos. Su órbita ovalada implica que su distancia al Sol varía mucho y en ocasiones, Plutón está más cerca del Sol que Neptuno. Cuando está muy lejos en el espacio, Plutón es tan frío que su atmósfera se congela por completo.

> El cometa Hyakutake tenía una cola de más de 570 millones de km de larga, cuatro veces la distancia entre la Tierra y el Sol.

La destrucción de la Tierra

A lo largo de su historia, la Tierra ha sido el objetivo de muchos asteroides. El impacto de uno provocó la extinción de los dinosaurios y otro de tamaño similar, podría provocar el fin de la civilización humana. Los científicos siguen las órbitas de los asteroides, si algún día uno llega a estar en camino de chocar con nuestro planeta, se podría desintegrar con armas nucleares, o podría cambiarse su curso con cohetes o velas solares (ver p. 13).

Cráter Barringer
Este cráter en Arizona, EE. UU., se formó por el impacto de un meteorito hace cerca de 50.000 años. Mide cerca de 1.200 m de ancho.

"Nuestros cohetes fallaron. Los cometas continúan dirigiéndose hacia la Tierra y no podemos hacer nada para detenerlos... El impacto va a ocurrir... será desastroso".

De la película de 1998 *Impacto profundo*.

NUBES ESPACIALES

GAS – *estado de la materia en el cual una sustancia se expande hasta llenar el recipiente que la contiene.*

Cuando las personas comenzaron a estudiar el cielo nocturno con telescopios, descubrieron parches difusos, a los que llamaron nebulosas. Muchas de ellas son en realidad nubes de polvo o gas resplandeciente u oscuro. Son sitios donde nacen o mueren estrellas. Otras, son grupos de estrellas cercanas, y algunas son galaxias distantes.

Columnas de creación

En estas vastas columnas de polvo y gas, que forman parte de la nebulosa Águila, están naciendo estrellas nuevas. La poderosa radiación de las jóvenes estrellas cercanas calientan las capas exteriores de las columnas y forman la neblina verde azulada que puede verse a su alrededor.

Nacimiento de las estrellas

Esta imagen telescópica muestra una vista más amplia de la nebulosa Águila con una estrella en explosión en su centro incandescente. Las estrellas en explosión (supernovas), atraen partes de la nube cercana, creando regiones densas. La gravedad continúa el proceso y las regiones atraídas se vuelven cada vez más densas, y se calientan más. Su centro se vuelve tan caliente que dan inicio a reacciones nucleares, convirtiendo esas áreas centrales en estrellas.

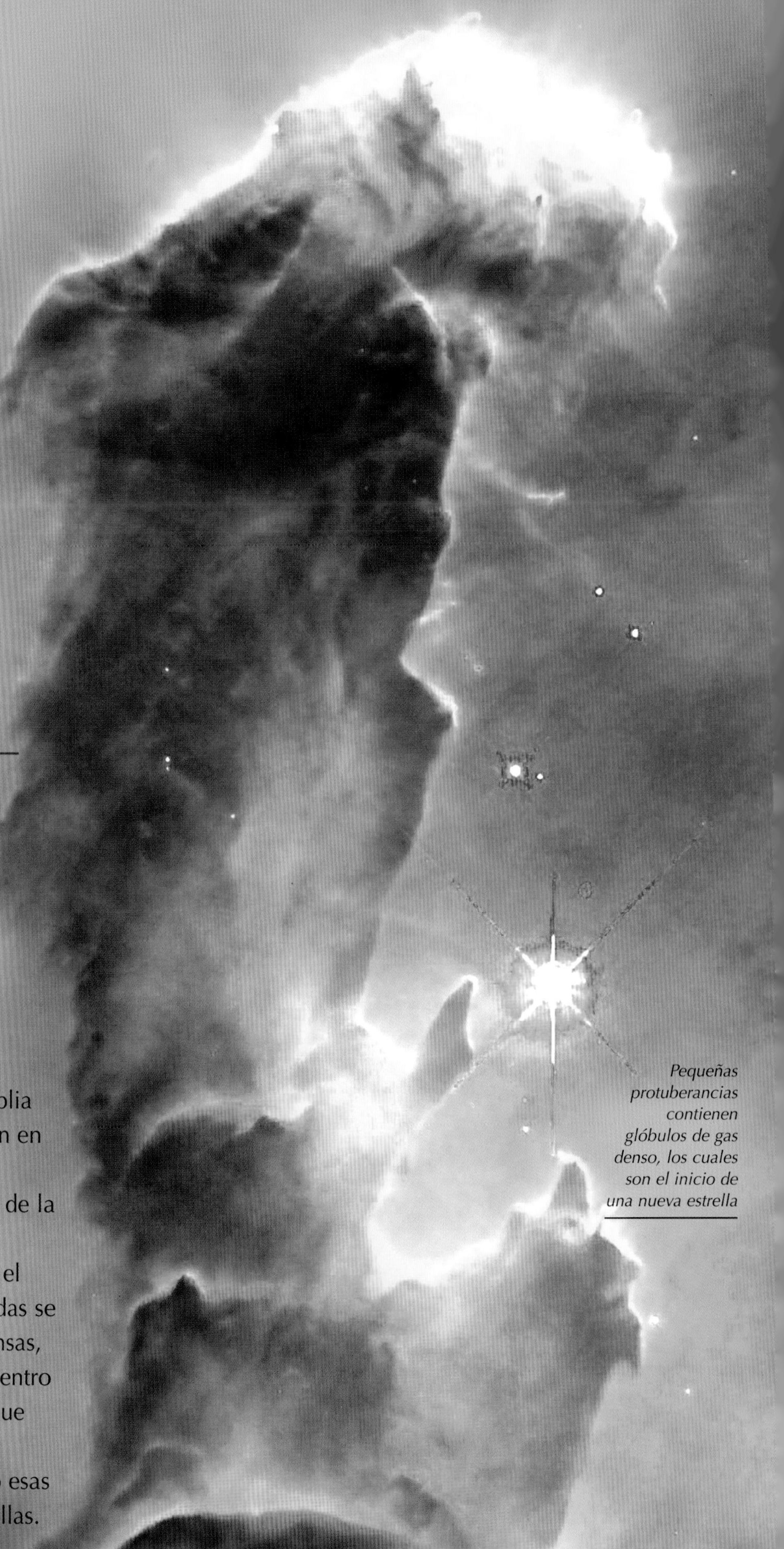

Pequeñas protuberancias contienen glóbulos de gas denso, los cuales son el inicio de una nueva estrella

> Muchos de los átomos de los que estamos hechos, estuvieron millones de años en una nube molecular.

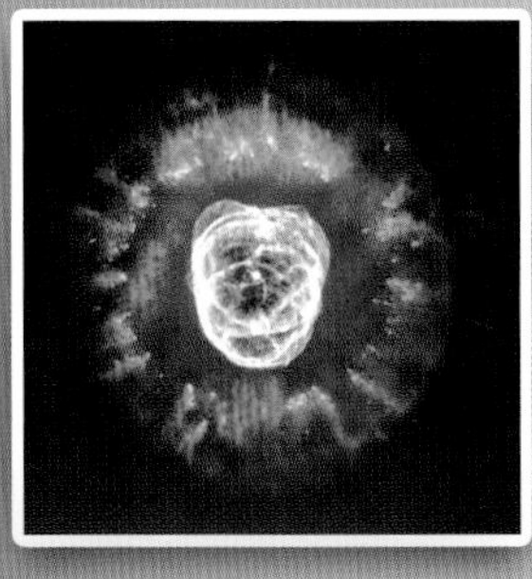

Con sólo mil años de edad, la nebulosa Esquimo es muy joven. El astrónomo William Herschel la descubrió en 1787. Más tarde, describió las nebulosas esféricas semejantes a la Esquimo como nebulosas planetarias.

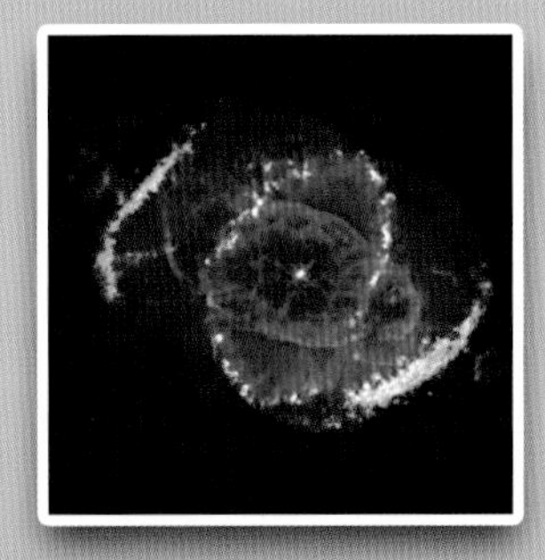

Una nebulosa planetaria, que es el gas liberado por una estrella, generalmente tiene forma esférica. Sin embargo, la nebulosa Ojo de Gato tiene una forma más compleja y nadie está seguro de la razón.

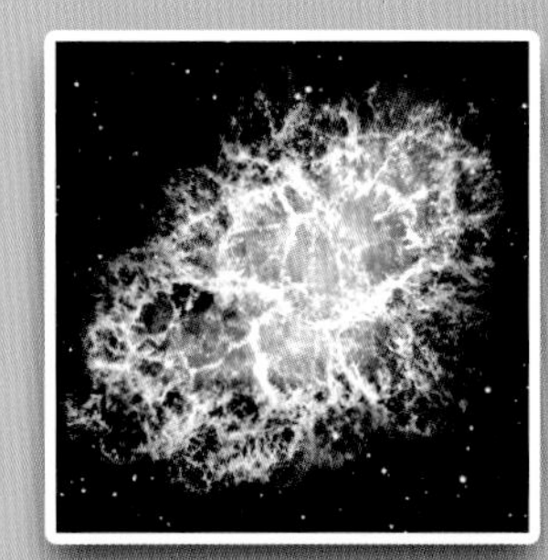

La nebulosa Cangrejo son los restos de una supernova, una estrella grande que explota al llegar al fin de su vida. La luz de la explosión llegó a la Tierra en 1054.

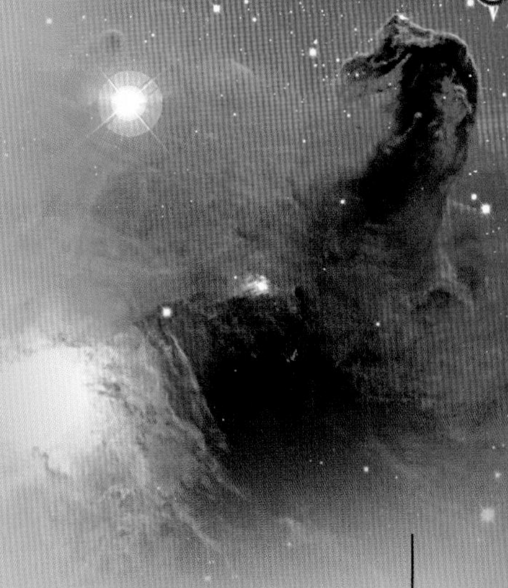

La nebulosa Orión es la que vemos más fácilmente. Este detalle muestra la Cabeza de Caballo, una nube oscura de siluetas de polvo contra el brillo de una nube de gas caliente que se conoce como nebulosa de emisión

http://hubblesite.org/gallery/album/nebula_collection

Cada columna tiene una longitud de aproximadamente un año luz. Esto quiere decir que a la luz le tomaría un año viajar de la parte más alta a la base

"Las nebulosas nos sorprenden por lo extraño de sus formas y lo incomprensible de su naturaleza".

Mary Somerville (1780-1872)
Escritora escocesa de ciencia ficción

Es posible que las columnas ya no existan, la explosión de una supernova cercana puede haberlas destruido hace 6.000 años. Si eso es cierto, solo veremos esa destrucción en mil años porque las columnas están a 7.000 años luz de distancia.

PROYECTILES DE POLVO

Muchas estrellas que están envejeciendo lanzan proyectiles de polvo, y tienen pulsaciones y brillo. Estas imágenes muestran ambos casos: en la estrella central ocurre una explosión de luz que se está esparciendo gradualmente.

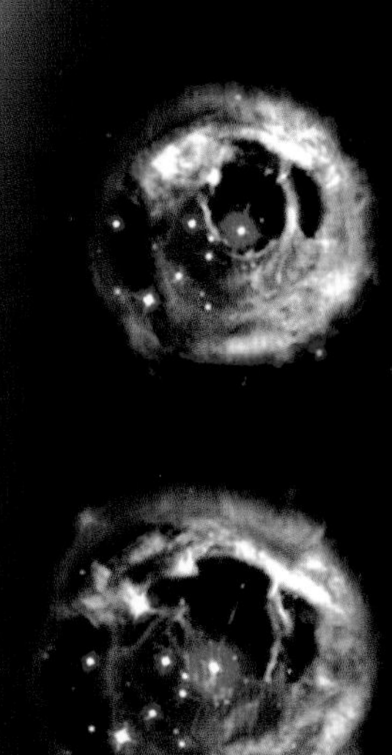

El brillo rojo en el centro de los proyectiles de polvo es una estrella supergigante.

Las regiones negras son orificios de los proyectiles de polvo.

El proyectil de polvo que se ve más afuera es aproximadamente del tamaño de Júpiter.

Gigante azul

Una gigante azul, mil veces más grande que el Sol, es tan caliente como lo puede ser una estrella sin llegar a destruirse. Su gran energía consume su atmósfera y le da a todo lo que la rodea una desagradable luz azul con mortales radiaciones.

ESTRELLAS EXTRAÑAS

El Sol es una estrella muy común, su temperatura y brillo han cambiado poco durante el tiempo que ha estado viva la Tierra. Esto ha sido para beneficio de nosotros, pues si tales cambios hubieran sido grandes es muy probable que nosotros no estuviéramos aquí para verlos. Pero muchas otras estrellas son extrañas, palpitan, cambian de forma, se unen o se separan. Y mientras hay algunas increíblemente calientes, otras apenas arden "a fuego lento".

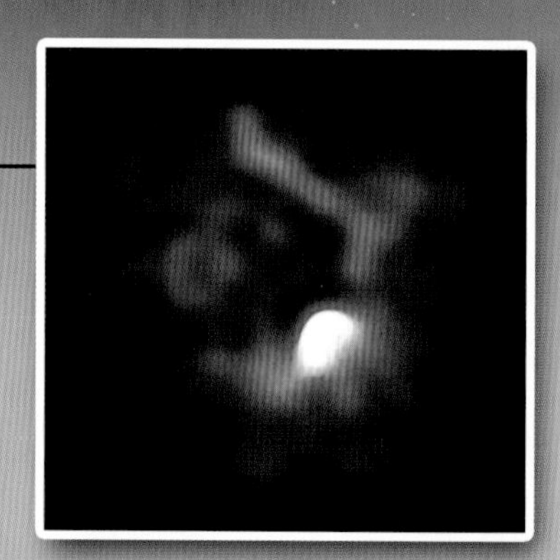

Estrellas de carbono

Algunas estrellas rojas y frías, tienen una atmósfera rica en carbono que se condensa a su alrededor en forma de nubes "tiznadas". Las nubes filtran la luz de su estrella pariente, lo que hace que su brillo sea de un rojo más oscuro.

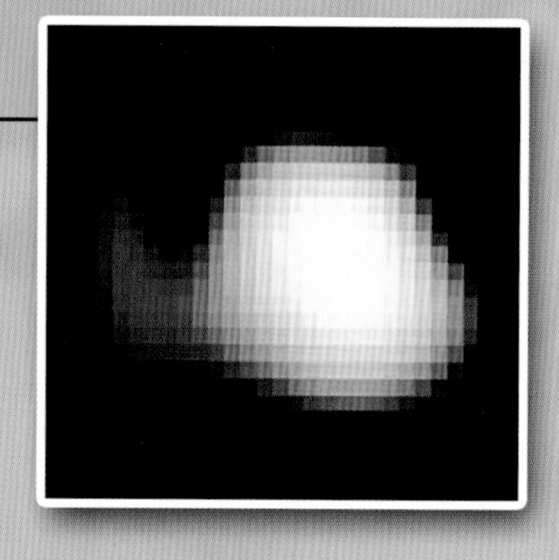

Estrellas deformes

No todas las estrellas son redondas. Mira (nombre en latín que significa "maravillosa") se ve deforme. Esto puede deberse a que cambia de forma al palpitar o a que su superficie es muy oscura para poder verla.

La estrella de mayor tamaño conocida, VY Canis Majoris podría contener cerca de 10 mil millones de Soles.

Binarias de contacto

Las estrellas binarias, un par de estrellas que se orbitan mutuamente, son muy comunes. Sin embargo, es raro que se encuentren tan cerca una de la otra que se toquen, como se observa en esta imagen. Las estrellas que se tocan comparten sus atmósferas y provocan su respectiva deformación.

www.skyandtelescope.com/observing/objects/variablestars

Variables y demonios

Cuando las estrellas cambian su brillo reciben el nombre de variables. Algunas estrellas variables centellean repentinamente o se ven oscurecidas por nubes de polvo. Otras, brillan y se oscurecen con regularidad. Esto puede deberse a que otras estrellas más oscuras las orbitan y bloquean su luz. A la primera estrella descubierta de este tipo se le dio el nombre de Algol, tomado de la palabra árabe que significa demonio.

"Clasificar las estrellas ha servido materialmente de ayuda para todos los estudios realizados acerca de la estructura del universo".

Annie Jump Cannon (1863-1941)
Astrónoma estadounidense

Estrellas enanas cafés unidas por la gravedad a esta enana roja de mayor tamaño y más brillante

Estrella enana café

Las estrellas enanas cafés son objetos oscuros más pesados que los planetas, pero más brillantes que las estrellas. A pesar de que sus respectivas masas oscilan entre 20 y 80 veces la de Júpiter, todas son más o menos del mismo tamaño.

ESTRELLAS PULSARES

Los astrónomos pueden calcular el promedio del brillo verdadero de las estrellas cefeidas, que parecen pulsar por el tiempo que les toma oscurecerse y brillar. Al tomar en cuenta el hecho de que todas las estrellas parecen ser más oscuras mientras más lejos se encuentran, los científicos pueden calcular a qué distancia se encuentran de la Tierra.

Una estrella pulsar es más caliente y más brillante cuando es pequeña.

A medida que aumenta de tamaño (se hincha), la estrella se oscurece, se enfría y se enrojece.

Algunas estrellas aumentan y disminuyen de tamaño en pocas horas. Otras, tardan varios años.

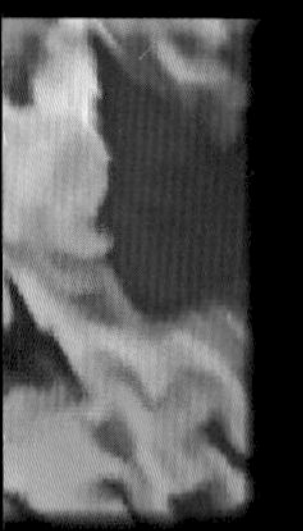

MUERTE DE LAS ESTRELLAS

Las estrellas son como fábricas, en ellas el hidrógeno se convierte en helio y el helio en otros elementos, y producen corrientes de energía que iluminan nuestro cielo de día y de noche. Ese proceso nuclear puede ser constante por miles de millones de años, pero al final una nueva conversión de elementos llega a ser imposible y las estrellas mueren. No obstante, no lo hacen tranquilamente...

NUCLEAR – *relacionado con los núcleos, las partes centrales de los átomos.*

Cuando ya no queda combustible, las capas externas de la gigante roja aumentan de tamaño y forman una nebulosa planetaria (la cual, sin embargo, no tiene nada en común con los planetas)

La nebulosa está formada por un gas tan ligero que su núcleo, una enana blanca, puede verse. La enana blanca, que tardará miles de millones de años en enfriarse, constituye la etapa final de la vida de las estrellas pequeñas y medianas

La nebulosa Reloj de Arena adquirió esa forma debido a que el viento se expandió en una nube más densa en sus polos que en su ecuador.

Cuando en el núcleo de las estrellas de masa similar a la del Sol se agota el hidrógeno, en las capas externas se producen reacciones nucleares, entonces la estrella aumenta de tamaño, se enfría y se convierte en una gigante roja.

Las estrellas arden por millones de años. Mientras más masivas son las estrellas más rápido arden y más corta es su vida

Cuando agotan el hidrógeno las estrellas masivas aumentan de tamaño para convertirse en supergigantes. Llegan a ser un millón de veces más grandes y cien mil veces más brillantes que el Sol. Muchas estrellas supergigantes son pulsares variables, brillantes cuando disminuyen su tamaño y pálidas cuando lo aumentan.

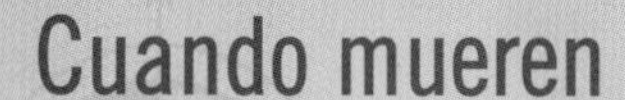

Cuando mueren

Lo que ocurre cuando muere una estrella depende de su masa. Estrellas como el Sol aumentan mucho su tamaño, funden los planetas cercanos y se los tragan (ver camino de izquierda-arriba). Las estrellas más masivas mueren en explosiones de supernova más brillantes que las galaxias (izquierda-abajo). Las supernovas pueden provocar el nacimiento de nuevas estrellas.

> La primera estrella pulsar descubierta se llamó "Hombrecito verde", pues se pensó que su luz era un mensaje de extraterrestres.

"Y todo lo que se refiere al cielo cósmico, el negro que se encuentra más allá de nuestro azul: innumerables estrellas que yacen muertas y estrellas de un tono rojo y contrariado, no muertas, pero condenadas a morir".

Julian Huxley (1887-1975)
Biólogo y poeta inglés

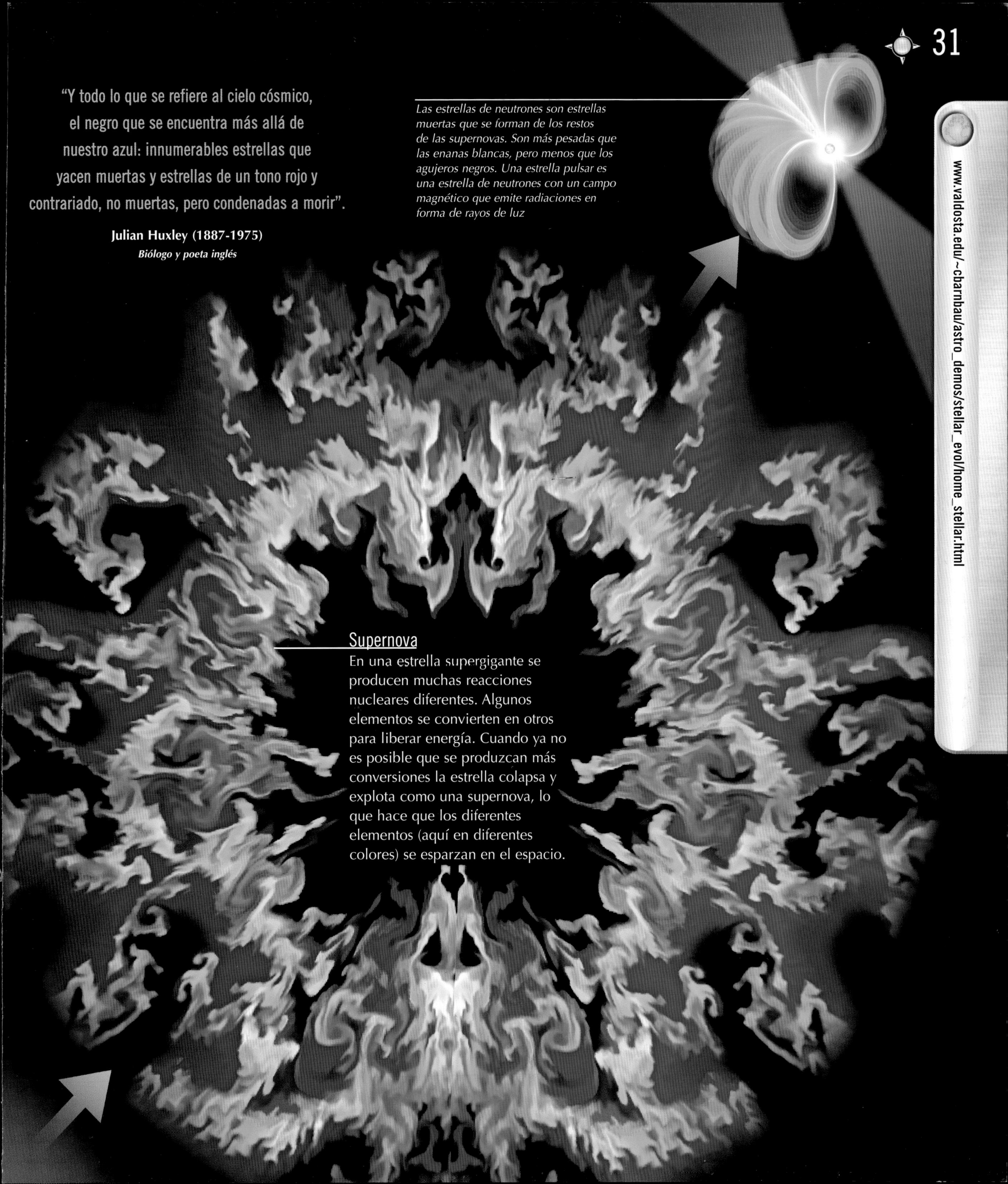

Las estrellas de neutrones son estrellas muertas que se forman de los restos de las supernovas. Son más pesadas que las enanas blancas, pero menos que los agujeros negros. Una estrella pulsar es una estrella de neutrones con un campo magnético que emite radiaciones en forma de rayos de luz

Supernova

En una estrella supergigante se producen muchas reacciones nucleares diferentes. Algunos elementos se convierten en otros para liberar energía. Cuando ya no es posible que se produzcan más conversiones la estrella colapsa y explota como una supernova, lo que hace que los diferentes elementos (aquí en diferentes colores) se esparzan en el espacio.

www.valdosta.edu/~cbarnbau/astro_demos/stellar_evol/home_stellar.html

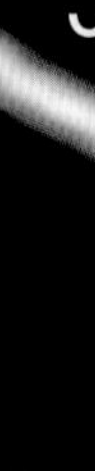

No todos los agujeros negros son mortales. Si un agujero negro gira con mucha velocidad, una nave espacial en la ruta correcta puede tomar un atajo hacia otra parte del universo o incluso hacia otro tiempo.

DISTORSIÓN ESPACIAL

El siglo pasado Einstein demostró que espacio y tiempo se funden para formar el espacio-tiempo y que el espacio-tiempo se distorsiona alrededor de objetos masivos. A esas distorsiones generalmente se les llama gravedad. Las ligeras distorsiones provocadas por el Sol guían a los planetas en sus órbitas, pero no todas las distorsiones espaciales son tan leves...

Espacio-tiempo

Imagina el espacio-tiempo como una hoja de caucho estirada. Las estrellas y los planetas distorsionan la hoja cuando se hunden en ella. Un objeto que pasa rápido a través de una depresión en el espacio-tiempo cambiará de dirección, en tanto que un objeto más lento girará alrededor del interior de la depresión en órbita.

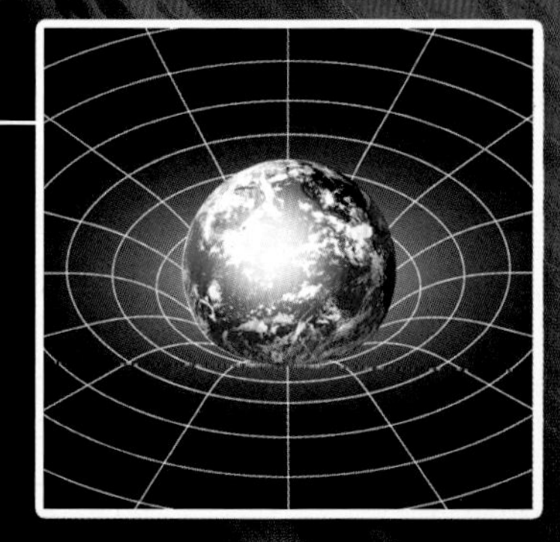

Agujeros de gusano

Mientras mayor es la masa, mayor llega a ser la distorsión del espacio-tiempo. Si en un pequeño espacio se concentra suficiente masa, es posible que penetre a través de los pliegues del espacio-tiempo (tal como lo haría una aguja). Esto crea una conexión entre un lugar y tiempo en el universo y otro, un agujero de gusano.

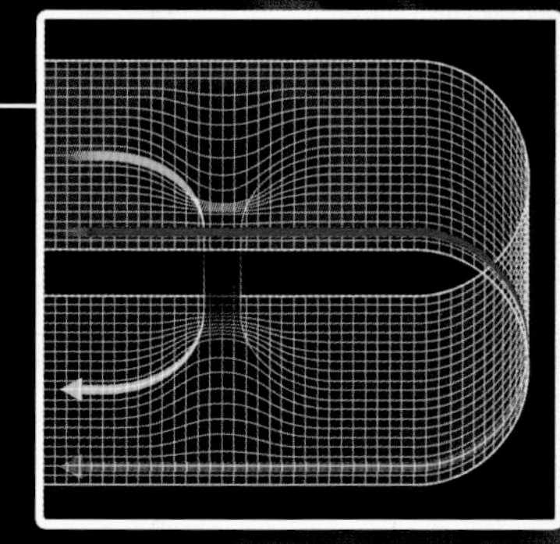

DISTORSIÓN - *deformación o gira.*

> El universo está lleno de agujeros de gusano, muy pequeños para poder verlos.

Cerca de un agujero negro la gravedad cambia mucho en distancias cercanas, distorsiona los objetos, dándoles formas largas y delgadas antes de atraerlos. A esto se le llama espaguetificación

Agujero negro

En una estrella la atracción de la gravedad hacia adentro se equilibra con la presión hacia afuera de la radiación. Pero cuando el combustible de la estrella se agota y la radiación disminuye, la gravedad no puede contenerse y la estrella colapsa hacia adentro. Aumenta su densidad y su gravedad. Finalmente, en la mayoría de las estrellas masivas todos los objetos cercanos se ven atraídos al interior de la estrella. Ni siquiera la luz escapa a esa atracción, la estrella se vuelve negra, se convierte en un agujero negro.

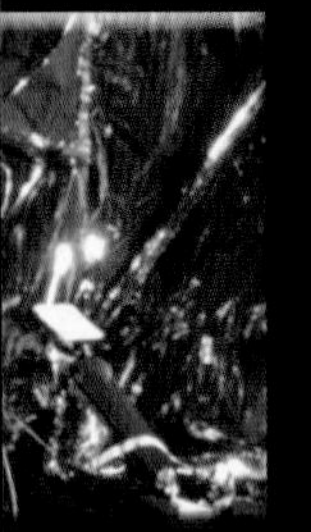

PIONEROS ESPACIALES

Después de que la U.R.S.S. sorprendió al mundo al ser el primero en llegar al espacio, Estados Unidos inició una carrera para enviar máquinas, animales y finalmente poder enviar seres humanos, que se mantuvieran primero en órbita y luego llegaran a la Luna. Los viajes espaciales ofrecen muchas ventajas prácticas, pero es también la necesidad de explorar el universo desconocido lo que hace que la gente siga adelante... y hacia afuera, a otros mundos.

U.R.S.S. – *Unión de Repúblicas Socialistas Soviéticas (1922-1991). Rusia fue el miembro más grande.*

Sputnik

El 4 de octubre de 1957 Rusia lanzó al espacio el satélite *Sputnik 1*, una esfera de 84 kg. Fue este el primer objeto artificial puesto en órbita alrededor de la Tierra. Las emisiones sonoras de su radiotransmisor pudieron escucharse en todo el planeta. Así empezó la era espacial.

Antena para la transmisión de señales de radio dirigidas a la Tierra

Cada nueve segundos el cohete *Saturno V* quemaba el combustible suficiente para llenar una piscina de natación.

Cohete de escape (para utilizarse en un lanzamiento de emergencia)

Módulo de comando del Apolo 11 (bajo una cubierta protectora)

Módulo de servicio

El módulo lunar Eagle se encuentra dentro de esta sección

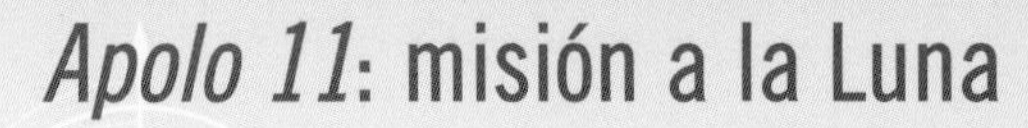

Apolo 11: misión a la Luna

El alunizaje que se realizó en 1969 fue quizá el acontecimiento más importante de la historia: la Luna fue el primer nuevo mundo al que llegamos. El enorme cohete *Saturno V* lanzó la nave espacial *Apolo 11* y a sus tres tripulantes a más de 300.000 km al espacio. Una tras otra, las tres secciones del *Saturno V* agotaron su combustible y fueron quedando atrás, lo que permitió que sólo los tres módulos del *Apolo* continuaran su viaje hacia la Luna.

La máxima velocidad que el hombre ha alcanzado en sus viajes es de 10,8 km/s, lo logró el *Apolo 8* en 1968.

ESCAPE DE LA TIERRA

Yuri Gagarin, astronauta ruso de 27 años, fue el primer hombre en viajar al espacio en 1961. Su nave espacial *Vostok 1*, llamada *Swallow*, lo llevó alrededor de la Tierra y luego lo trajo de regreso la mayor parte del camino, pues ya en los últimos kilómetros del viaje se arrojó en paracaídas y aterrizó en una granja.

Gagarin esperando ser enviado al espacio.

"Es un pequeño paso para el hombre, pero un gran salto para la humanidad".

Neil Armstrong (nacido en 1930)
Comandante del* Apolo 11*, 20 de julio de 1969

CSM del *Apolo 17* (arriba) era parecido al del *Apolo 11*.

Fin del viaje

Tras un viaje de tres días, los módulos de comando y de servicio (CSM) del *Apolo 11* llegaron a la Luna y orbitaron a su alrededor. Los astronautas Armstrong y Aldrin entraron en el módulo lunar *Eagle* y lo llevaron a la superficie. Collins permaneció a bordo del CSM.

El *Eagle* alunizó

Los astronautas guiaron el módulo lunar *Eagle* para alunizar a salvo en el Mar de la Tranquilidad.

Propulsor (uno de los cuatro que tenía)

Tanque de combustible

Solo esta sección superior del Eagle *regresó al CSM. El resto aún se encuentra en la Luna*

Lámina para reflejar la luz solar y evitar que el Eagle *se recalentara*

Plataforma de aterrizaje

Aldrin, de pie en la Luna, revisa el equipo del Eagle

http://news.bbc.co.uk/onthisday/hi/themes/science_and_technology/space

MÁS ALLÁ DEL CIELO

Los cohetes que llevaban hombres a la Luna eran enormes, muy costosos y solo podían utilizarse una sola vez. Para hacer viajes regulares al espacio cercano a la Tierra y reparar satélites o visitar estaciones espaciales es necesario contar con naves que puedan reutilizarse. Las naves espaciales de este tipo pueden permitir que un día, cualquier persona, pueda volverse astronauta.

SATÉLITE – *objeto en órbita, ya sea artificial o natural como la Luna.*

Los trasbordadores cuentan con bahías de lanzamiento para el transporte de satélites y equipos que se ponen en órbita mediante un brazo robótico

USA

NASA Atlantis

El tanque externo contiene combustible líquido. Después de usado se libera y arde en la atmósfera

> En el espacio el brazo robótico del trasbordador puede mover satélites más pesados que camiones, pero en la Tierra no.

El trasbordador espacial

El trasbordador espacial creado por la NASA, es una nave espacial reutilizable que puede orbitar la Tierra. Se usa para lanzar, recuperar y reparar satélites, para ir a las estaciones espaciales y para investigar. Despega como un cohete, consume el combustible que lleva en un tanque externo y en los tanques gemelos propulsores, y aterriza como un aeroplano. Se construyeron seis trasbordadores y sus vuelos espaciales comenzaron en 1981. La velocidad máxima de un trasbordador espacial es alrededor de los 7,7 km/s.

Los astronautas que viajan en un trasbordador espacial emplean propulsores de nitrógeno para moverse libremente en el espacio

Al quemarse su combustible sólido, los dos cohetes propulsores caen a la Tierra, ayudados por paracaídas. Se llenan nuevamente y se reutilizan

www.nasa.gov/mission_pages/shuttle/vehicle/index.html

Nuevos horizontes

La nave espacial *Orión* que actualmente se encuentra en etapa de desarrollo, viajará no solo a la Estación Espacial Internacional, sino también a la Luna y a Marte. Como el trasbordador espacial, *Orión* también será una nave reutilizable.

SpaceShipOne

El *SpaceShipOne* es una nave espacial de carácter experimental lanzada al espacio en 2004. Llegó a una altura de más de 100 km y voló a una velocidad tres veces mayor que la del sonido. Ahora se está creando una versión más poderosa con el fin de ofrecer con regularidad un servicio de viajes espaciales a pasajeros.

El alerón se dobla hacia adelante al volver a entrar a la atmósfera de la Tierra para reducir la velocidad

CIUDADES EN EL CIELO

ESTACIÓN ESPACIAL — *satélite tripulado.*

Ahora mismo hay gente que vive sobre nuestra cabeza en la Estación Espacial Internacional (ISS, por sus siglas en inglés), última de una serie de estaciones espaciales (la primera fue *Salyut 1*, 1971, y la segunda fue el *Skylab*, un laboratorio puesto en órbita en 1973). Hoy en día las estaciones espaciales se utilizan principalmente para la investigación, pero en el futuro habrá en ellas hoteles y serán el primer paso de una exploración espacial que llegará a gran distancia.

"La Tierra es la cuna de la humanidad, pero no podemos vivir en la cuna para siempre".

Konstantin Tsiolkovsky (1857-1935)
Científico ruso especialista en cohetes espaciales

Por el espacio

La Estación Espacial Internacional orbita la Tierra, pero en el futuro las estaciones espaciales podrán utilizar la energía solar para impulsarse en la realización de misiones a otros mundos. Generaciones de exploradores podrán pasar toda su vida en ellas y aprovechar la luz y el calor solares para obtener su alimento. Una nave giratoria como esta generaría gravedad propia para sus habitantes.

A bordo de la ISS

La Estación Espacial Internacional se construye en órbita y en su construcción intervienen 16 países. A bordo, los astronautas y los objetos no tienen casi gravedad, lo que permite estudiar la "microgravedad" en personas, plantas, cristales, líquidos y fuego, lo cual ayudará a planear futuras colonias espaciales. La vida diaria en la Estación Espacial Internacional constituye un constante experimento sobre la ingravidez. Sin la resistencia de la gravedad los astronautas deben ejercitarse para impedir la debilidad de sus huesos y de sus músculos. En 2007 la astronauta Sunita Williams corrió una maratón en la Estación Espacial Internacional.

> El vuelo más largo en el espacio (realizado por Valery Polyakov en la estación espacial *Mir*) duró 437 días.

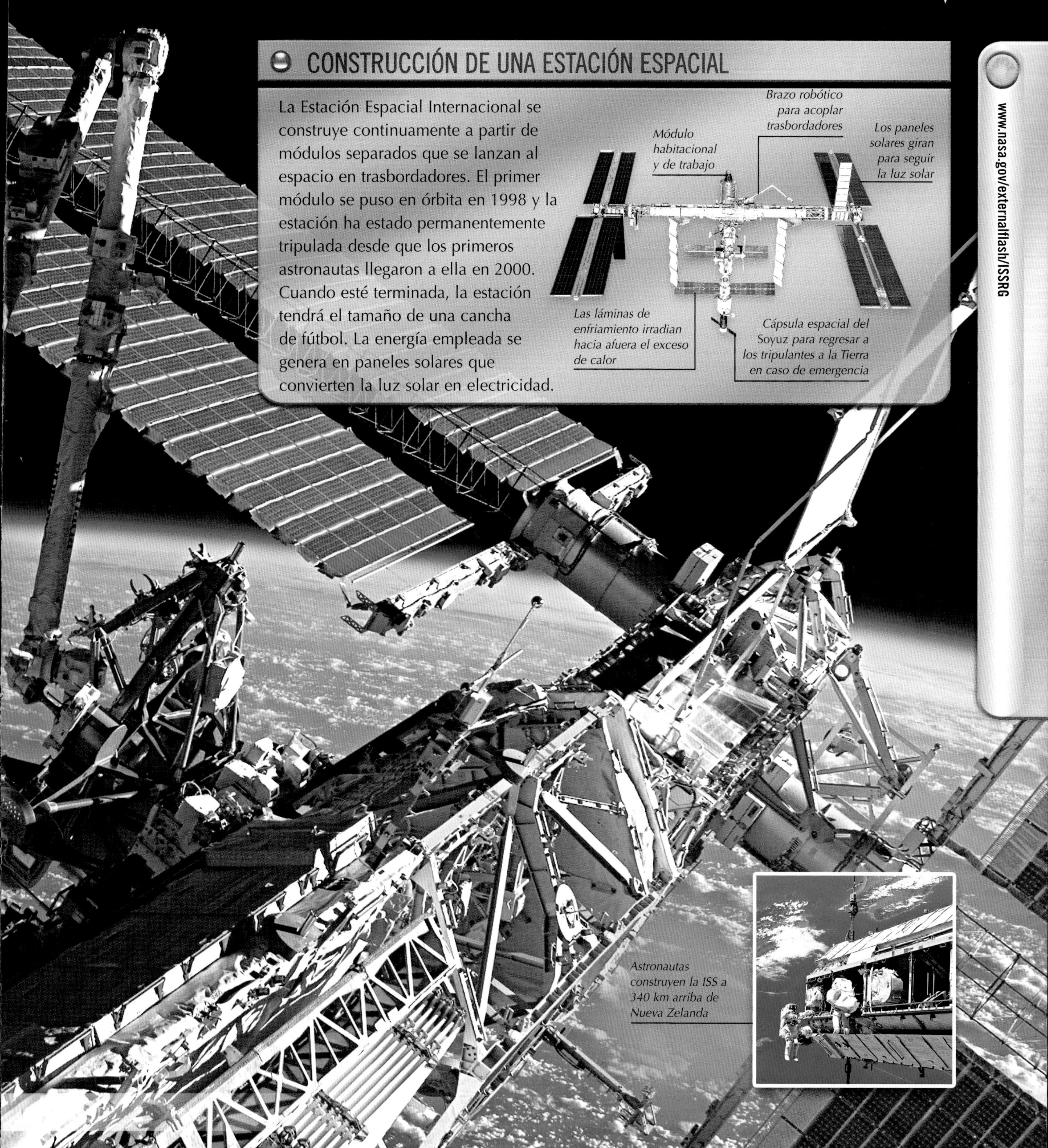

CONSTRUCCIÓN DE UNA ESTACIÓN ESPACIAL

La Estación Espacial Internacional se construye continuamente a partir de módulos separados que se lanzan al espacio en trasbordadores. El primer módulo se puso en órbita en 1998 y la estación ha estado permanentemente tripulada desde que los primeros astronautas llegaron a ella en 2000. Cuando esté terminada, la estación tendrá el tamaño de una cancha de fútbol. La energía empleada se genera en paneles solares que convierten la luz solar en electricidad.

Astronautas construyen la ISS a 340 km arriba de Nueva Zelanda

NAVES ESPACIALES

Viajar a las estrellas es fácil, de hecho las sondas espaciales no tripuladas, *Pioneer* y *Voyager*, van camino a los límites del sistema solar e incluso más allá del espacio interestelar. Viajar a grandes distancias no constituye un problema, el reto no es el espacio, sino el tiempo: las sondas espaciales deberán viajar durante decenas de miles de años antes de llegar a una estrella. Y por ello para explorar otros sistemas estelares es necesario contar con naves más rápidas.

Explotación minera

La materia prima necesaria para construir naves espaciales y crear el combustible necesario para ellas podrá obtenerse algún día de los asteroides, algunos de los cuales están formados por metales. La escasa gravedad de dichos asteroides hará que los materiales casi carezcan de peso, lo que permitirá transportarlos fácilmente. Aquí se ve una nave con cuatro robots que mueven un asteroide al pasar por Marte.

Naves para descender

Las naves espaciales no estarán diseñadas para descender en otros mundos. No obstante, las tripulaciones podrán descender a los planetas en naves pensadas para recorrer distancias cortas.

> La estrella más cercana se encuentra cerca de un millón de veces más lejos de la Tierra que el planeta más cercano.

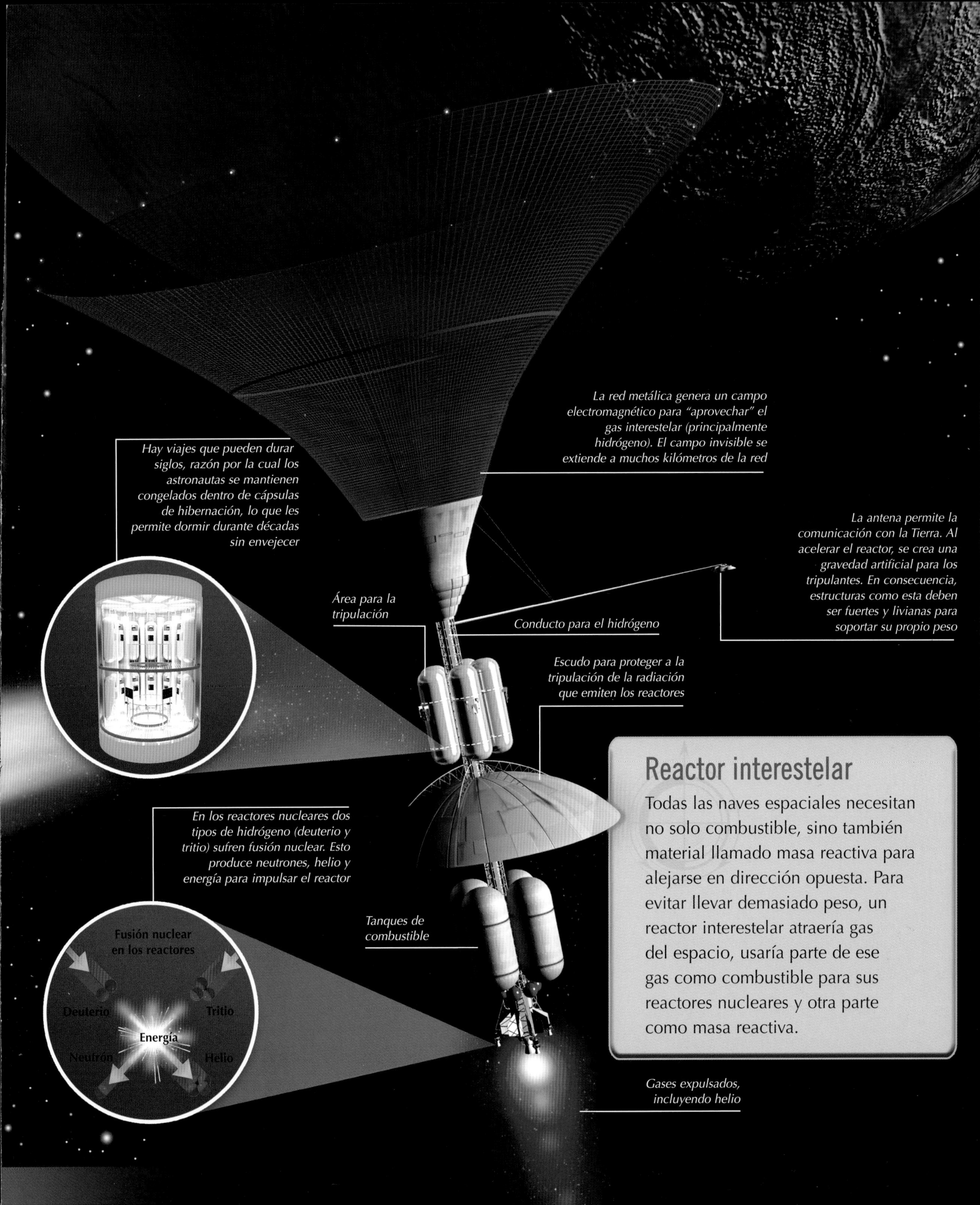
La red metálica genera un campo electromagnético para "aprovechar" el gas interestelar (principalmente hidrógeno). El campo invisible se extiende a muchos kilómetros de la red
Hay viajes que pueden durar siglos, razón por la cual los astronautas se mantienen congelados dentro de cápsulas de hibernación, lo que les permite dormir durante décadas sin envejecer
La antena permite la comunicación con la Tierra. Al acelerar el reactor, se crea una gravedad artificial para los tripulantes. En consecuencia, estructuras como esta deben ser fuertes y livianas para soportar su propio peso
Área para la tripulación
Conducto para el hidrógeno
Escudo para proteger a la tripulación de la radiación que emiten los reactores
En los reactores nucleares dos tipos de hidrógeno (deuterio y tritio) sufren fusión nuclear. Esto produce neutrones, helio y energía para impulsar el reactor
Fusión nuclear en los reactores
Deuterio
Tritio
Energía
Neutrón
Helio
Tanques de combustible
Gases expulsados, incluyendo helio

Reactor interestelar

Todas las naves espaciales necesitan no solo combustible, sino también material llamado masa reactiva para alejarse en dirección opuesta. Para evitar llevar demasiado peso, un reactor interestelar atraería gas del espacio, usaría parte de ese gas como combustible para sus reactores nucleares y otra parte como masa reactiva.

www.nasa.gov/centers/glenn/research/warp/ideaknow_prt.htm

LA VIDA

¿Solo existe vida en la Tierra? En busca de una respuesta a esta pregunta hay robots que buscan en las arenas de Marte, se emiten señales a estrellas lejanas, hay sondas que llevan mensajes en discos, en placas, y poderosos radiotelescopios escudriñan los cielos.

SONDA – *nave espacial enviada a explorar otros mundos.*

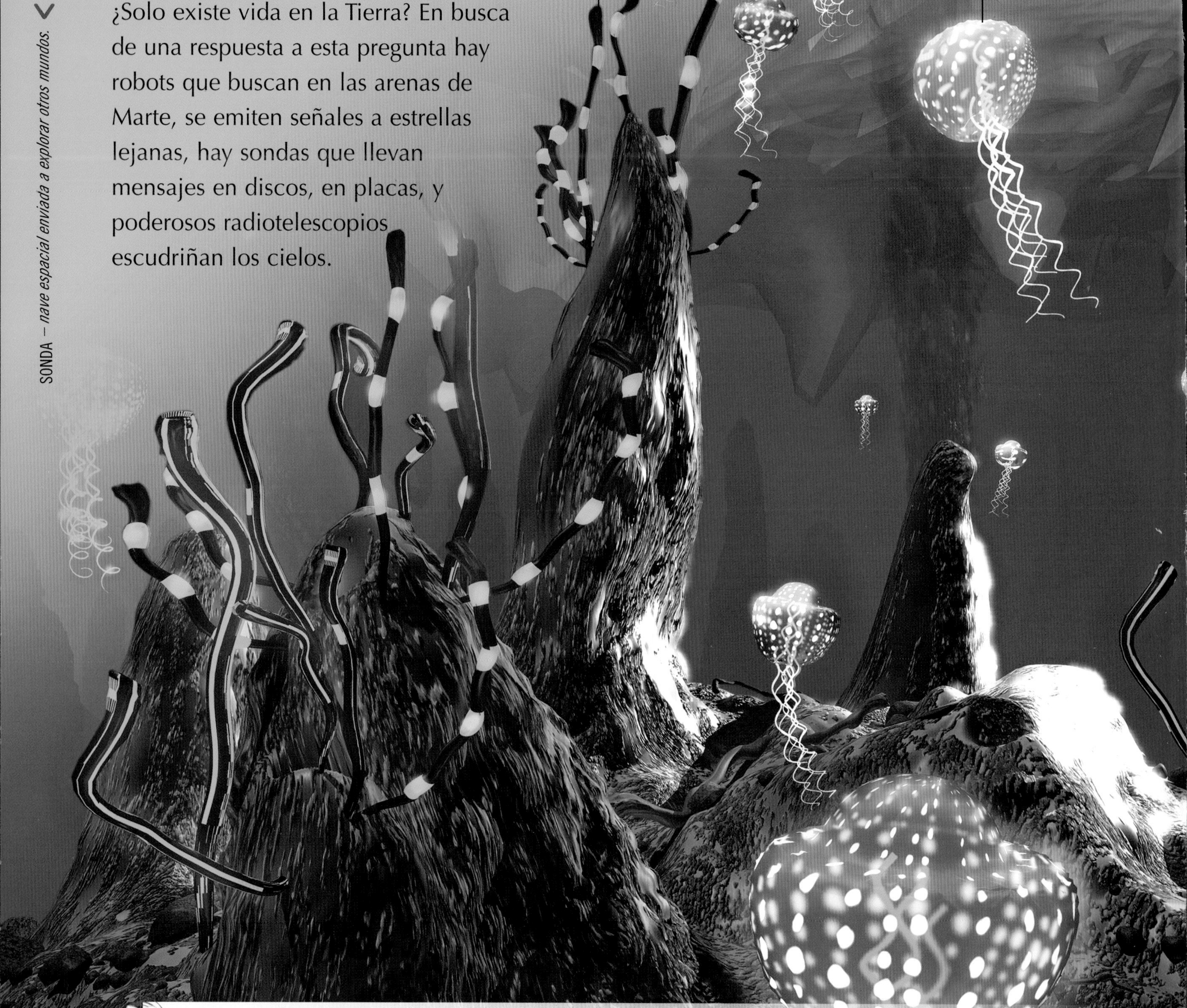

Animales como gusanos atacan a las criaturas microscópicas que se agrupan alrededor de las chimeneas volcánicas. Las chimeneas volcánicas proporcionan el calor necesario para la vida

Los organismos de nado libre utilizan la luz para comunicarse

> En un meteorito marciano se encontraron estructuras semejantes a microbios.

¿Vida en una luna distante?

La luna Europa se calienta con la gravedad de Júpiter, el planeta alrededor del cual orbita. Esto significa que bajo su helada superficie se esconde un gran océano. En su tibia oscuridad es posible que exista vida. En la Tierra también hay criaturas en la profundidad del océano que obtienen su energía del calor subterráneo.

El transportador ha perforado y derretido el hielo de la superficie helada de Europa

La sonda robot tiene sensores, propulsores y pinzas

www.bbc.co.uk/science/space/life

POSTALES PARA EXTRATERRESTRES

Las sondas espaciales *Pioneer 10* y *Pioneer 11*, lanzadas en 1972 y 1973 respectivamente, llevan, cada una, una placa de acero con un mensaje simbólico en imágenes para cualquier tipo de criatura que las encuentre.

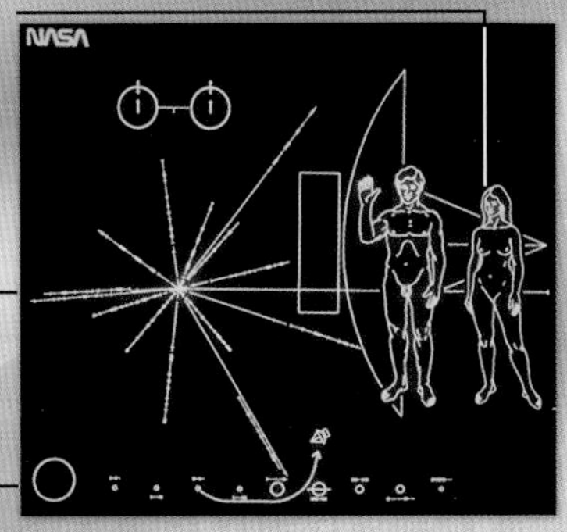

Imagen en una placa a bordo de la sonda espacial *Pioneer 10*

SEÑALES A LAS ESTRELLAS

Parte del mensaje de Arecibo en código binario

En 1974 el radiotelescopio de Arecibo envió este mensaje a un gran grupo de estrellas. Llegará a su destino en aproximadamente 27.000 años luz.

GLOSARIO

antena
Dispositivo que envía o recibe señales de radio.

asteroide
Cuerpo rocoso o metálico que orbita alrededor del Sol. Los asteroides se encuentran principalmente entre la órbita de Marte y la de Júpiter.

atmósfera
Capas de gases alrededor de una estrella, planeta o luna.

átomo
Parte más pequeña de un elemento, compuesto por un núcleo hecho de protones y neutrones. Los electrones rodean el núcleo.

campo electromagnético
Combinación de un campo eléctrico y un campo magnético. La luz y otros tipos de radiación son una clase de campo electromagnético en movimiento.

campo magnético
Área que rodea una carga eléctrica en movimiento o imán que produce atracción y repulsión sobre otros imanes, cargas y otros objetos.

cosmos
Otro término para universo.

efecto invernadero
Proceso mediante el cual determinados gases en la atmósfera de un planeta capturan parte del calor del Sol. Como resultado, sube la temperatura del planeta.

eje
Línea imaginaria que pasa a través de los polos de un planeta y sobre el que gira un planeta.

elemento
Sustancia compuesta por átomos con el mismo número de protones.

energía
La fuerza que se requiere para realizar un trabajo, como levantar un objeto. Existen muchas formas de energía, entre ellas el sonido, la luz, el calor, la electricidad y la masa.

estrella
Masa brillante de gas, que se mantiene unida gracias a la gravedad.

galaxia
Un gran número de estrellas, junto con planetas, gas, polvo y materia oscura que permanecen juntos debido a la gravedad.

gravedad
Fuerza que atrae todos los objetos entre sí. La resistencia de la fuerza depende de la masa de los objetos.

helio
Sustancia muy ligera que es un gas en todas las temperaturas, menos las más bajas.

hidrógeno
Sustancia muy ligera, la más común en el universo. La mayoría de las estrellas están hechas principalmente de hidrógeno.

luna
Una luna es un mundo que orbita alrededor de un planeta.

lunar
Relativo a la Luna.

masa
Medida de la cantidad de materia que contiene un objeto. En un campo gravitacional, un objeto es más pesado en la medida en que contiene mayor cantidad de masa.

materia
Sustancia que contiene masa y ocupa espacio. La materia existe en cuatro formas principales: sólida, líquida, gas y plasma. Las partículas de la antimateria tienen propiedades opuestas a las de la materia. La materia oscura es una sustancia misteriosa que se sabe que existe solo debido a los efectos de su gravedad sobre la materia ordinaria.

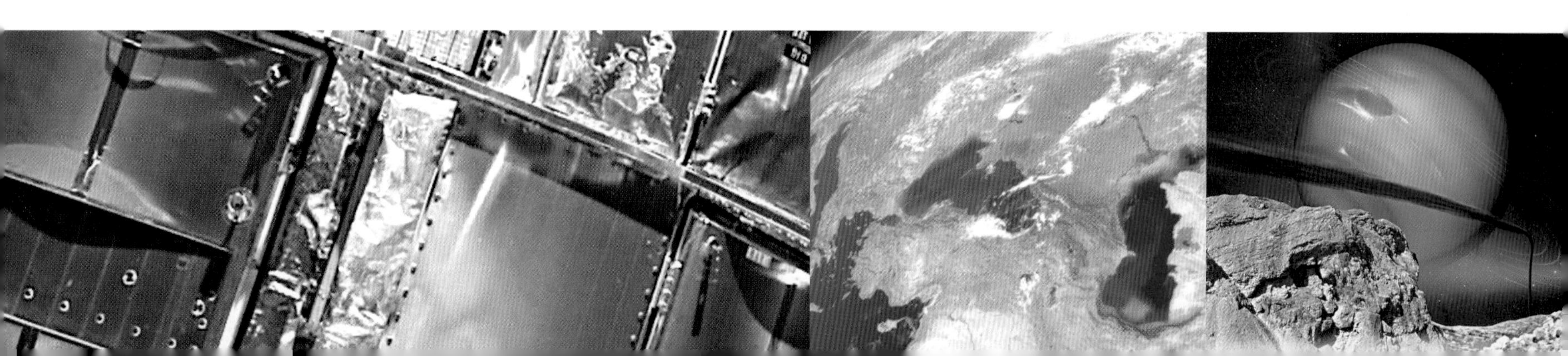

meteoro
Un meteoro es la estela de luz en el cielo causada por un pedazo de roca o metal que cae del espacio y se quema en la atmósfera. Un meteoroide es el nombre con que se conoce el objeto antes de caer. Si parte del objeto llega a la superficie de la Tierra, se llama meteorito.

nebulosa
Objeto espacial parecido a una nube. Las nebulosas planetarias son nubes de gas, con frecuencia redondas, generadas por estrellas agonizantes. No están relacionadas con los planetas.

neutrino
Partícula mucho más pequeña que un átomo, la cual existe en grandes cantidades. Puede pasar a través de prácticamente todo, incluso la Tierra, sin detenerse. Es casi imposible detectarlo.

neutrón
Partícula que se encuentra en el núcleo de cada átomo, excepto en los de hidrógeno. Una estrella de neutrones es una estrella muerta en la cual la gravedad es tan alta que sus protones y electrones se encuentran tan unidos que se convierten en neutrones.

nuclear
Relativo al núcleo de un átomo. La fusión nuclear es el proceso mediante el cual el hidrógeno se convierte en helio en el Sol y en la mayoría de las estrellas, liberando la energía que vemos como luz solar e iluminación estelar.

núcleo
Centro de un átomo.

órbita
Ruta que sigue un objeto alrededor de otro en el espacio, como por ejemplo, un planeta alrededor de una estrella.

panel solar
Dispositivo que convierte la luz solar en calor o electricidad.

partícula
Fragmento diminuto de materia.

protón
Partícula con una carga eléctrica positiva que se encuentra en el núcleo de todos los átomos.

radar
Sistema en el cual las ondas radiales se emiten hacia los objetos. La forma en que rebotan nos permite conocer información acerca del objeto. El radar se usa para rastrear objetos en movimiento, trazar mapas de las superficies de los planetas y medir sus distancias.

radiación
Forma de energía que viaja a través del espacio en forma de ondas electromagnéticas. La luz, las ondas de radio, los rayos infrarrojos, los ultravioleta, los X y los gamma, son tipos de radiación.

radio
Forma de radiación electromagnética, con ondas más largas que las ondas de la luz.

satélite
Objeto que se encuentra en órbita alrededor de un planeta. Una luna es un satélite natural y un satélite meteorológico es uno artificial.

sonda espacia
Nave espacial sin tripulación enviada a explorar otros mundos y reunir información.

supernova
Tipo de explosión estelar.

volumen
Medida de cantidad de espacio que ocupa un objeto.

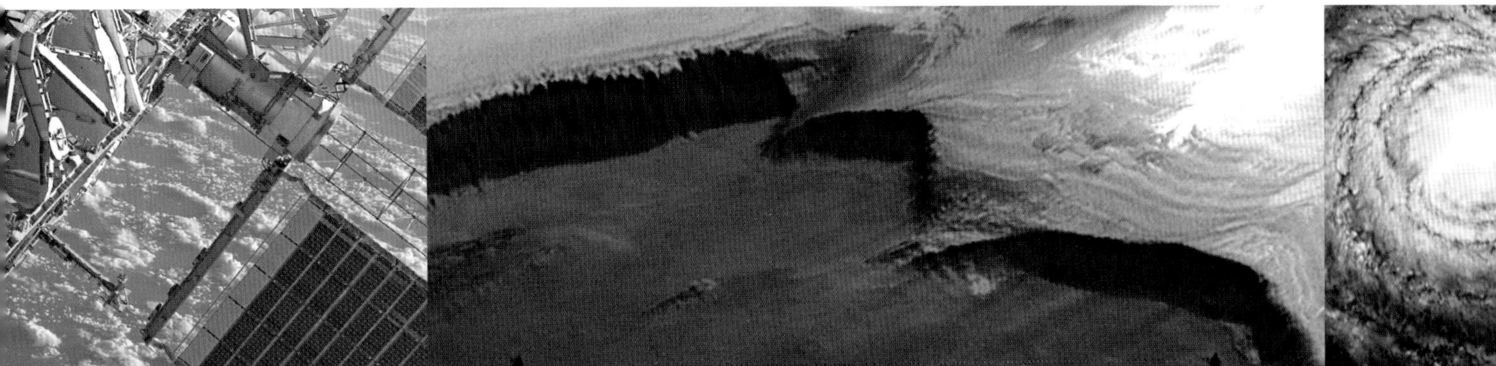

ÍNDICE

A B

C D

E

G

H

I J

L

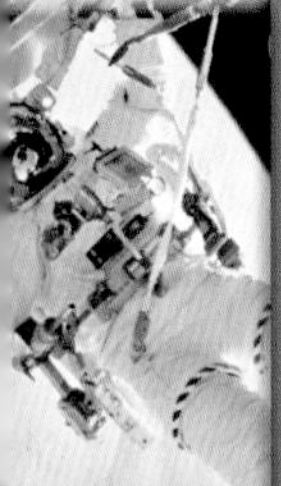

INVESTIGA

Visita museos para aprender sobre la historia de los viajes espaciales y lee libros y navega por sitios en Internet para encontrar más información acerca de las estrellas, el universo y los planetas de nuestro sistema solar.

Imagen con lapso de un cielo estrellado

Conviértete en un astrónomo

Cualquier persona puede convertirse en astrónomo. No siempre es necesario tener un telescopio, pues estrellas, planetas, satélites y galaxias pueden verse a simple vista.

 *Para comprender el universo* (Panamericana Editorial, 2006).

 Planetario de Bogotá, Cll. 26 No. 6-07, Bogotá, Colombia.

 www.planetariodebogota.gov.co

Constelación de Orión, el cazador

Constelaciones

Investiga acerca de los mitos y leyendas de las constelaciones. Una constelación es un grupo de estrellas que representa algún objeto, una persona o incluso un monstruo.

 *Astronomía para todos* (Panamericana Editorial, 2008).

 Maloka, Cra. 68D No. 40A-51, Bogotá, Colombia.

 www.coldwater.k12.mi.us/lms/planetarium/myth/index.html

Museo de Ciencias en Londres.

Exploración del espacio

Haz un viaje a un museo de ciencias para descubrir cómo los seres humanos y las sondas espaciales han viajado a través del espacio.

 *Estrellas* (Panamericana Editorial, 2007).

 Museo de los Niños, Cra. 48 No. 63-97, Bogotá, Colombia.

 www.bbc.co.uk/science/space/exploration

Los programas de televisión y películas incorporan el espacio a la vida.

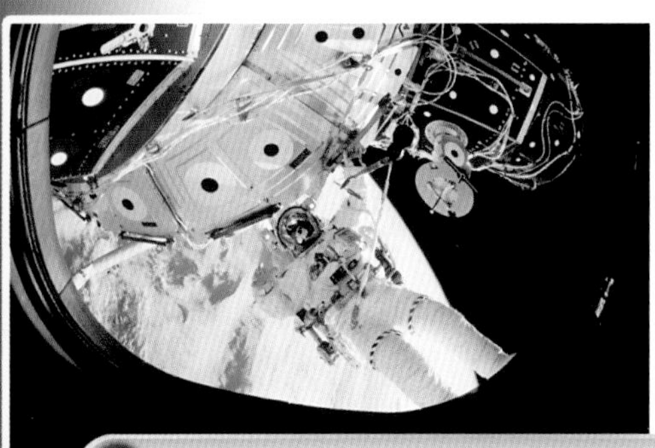

Televisión y medios de comunicación

Viaja al espacio viendo un documental realizado por astronautas o sondas espaciales. Y ve películas de ciencia ficción para despertar en tu imaginación la idea de otros mundos.

 *Cinematic History of Sci-Fi and Fantasy* (Historia Cinematográfica de Ciencia Ficción y Fantasía) por Mark Wilshin (Raintree).

 Quédate en casa y mira un DVD: *The Planets* (Los Planetas) (BBC).

www.bbc.co.uk/science/space/spaceguide